ELEKTROCUTIE

Van Axel Bouts verscheen ook bij Davidsfonds/Literair:

Daniël

Gelieve de familie te volgen

Nieuwemaan

Mise-en-scène

Kaïn

Broers en zussen

In memoriam

Résidence Elckerlyc

Oorlog in Kieltje

AXEL BOUTS

ELEKTROCUTIE

Davidsfonds/Literair

Bouts, Axel
Elektrocutie

© 2003, Axel Bouts en Uitgeverij Davidsfonds NV
Blijde-Inkomststraat 79-81, 3000 Leuven
Omslagontwerp en -foto: B2

D/2003/0201/17
ISBN: 90-6306-478-0
NUR: 301

PROLOOG

Hij glimlachte... Jammer dat er niemand bij hem was aan wie hij kon laten horen dat hij de veiligheidsrichtlijnen – in acht te nemen bij werken aan elektrische installaties – uit het hoofd had geleerd. Als lid van het Comité voor Preventie en Welzijn was hij dat aan zichzelf verplicht.

Bij spanningsloos werken dient men vijf vitale stappen te volgen:

de elektrische toevoer afschakelen; d.i. een zichtbare veiligheidsonderbreking;
beveiligen tegen herinschakelen:
met behulp van een hangslot het herinschakelen verhinderen;
of de cabine afsluiten met zichtbare aanduiding;
een aanduidingsbord aan de hoofdschakelaar aanbrengen;
testen/meten: controle op de werking van de afschakeling (= spanningsloos zijn van de geleiders). Dit moet gebeuren met goedgekeurd materiaal, na de juiste kabelidentificatie;
aarden en kortsluiten (enkel toe te passen bij hoogspanningslijnen);
afbakenen van de werkzone.

En nu de richtlijnen toepassen.

Eerst cabine A afschakelen. Cabine B voorzag de andere kant van de werkhal van stroom. Dat wist hij nog van vroeger.

Hij maakte de schakelaar los. Stap één.

De beveiliging tegen herinschakelen aanbrengen was eenvoudig... De herstelling kon enkel worden uitgevoerd in het weekeinde wanneer de machines stillagen. En wanneer niemand aanwezig was. Hij was nu dus alleen. Daarover was er in het Comité al heel wat te doen geweest. De vakbonden hadden gesteld dat niemand in z'n eentje mocht werken. Altijd met z'n tweeën, hadden ze geëist. Uiteindelijk was er een compromis uit de bus gekomen. Hij werkte nu weliswaar toch alleen, maar rond zijn hals droeg hij een 'dodemansknop'. Zo heette dat ding. Hij vond het een afschuwelijke naam, maar... Zodra er iets verkeerd liep, hoefde hij maar op het knopje te drukken en meteen zou er hulp komen.

Omdat er zich niemand anders in het gebouw bevond, hoefde hij geen hangslot aan te brengen. Een bordje aan de schakelaar bevestigen was voldoende. 'Afgeschakeld wegens werkzaamheden.' Ziezo.

Nu kon hij aan het werk. Maar eerst stap drie: testen. Eigenlijk overbodig. Hij had de cabine afgeschakeld, dus... Scrupuleuze lui, die de voorschriften maken. Uit is uit. Hij kon beginnen met de reparatie.

Stap vier hoefde enkel voor hoogspanning, en dat hij de werkzone moest afbakenen was evenmin nodig. Er was geen hond of kat; hoogstens zijn chef zou eens langskomen.

Hij pikte de passende schroevendraaier uit de gereedschapskist en draaide de eerste vijs los... Een fluitje van een cent.

Toen hij een kwartier later aan het andere eind van de leiding de zekering losmaakte, sloeg een felle steekvlam uit. Hij slaakte een gesmoorde kreet en viel sidderend neer.

Hij bewoog niet meer toen iemand voorzichtig naast hem knielde en zijn naam fluisterde: 'Rik... Rik...'

ROGER FEYS

Een dag als een ander

7.30 u.

'Iets speciaals vandaag?'

'Altijd hetzelfde. De vakbonden blijven eisen dat het ploeggeld verhoogd wordt. Ze hebben nog altijd niet begrepen dat flexibiliteit de prijs is die moet worden betaald voor onze hoge lonen.'

Jozef Verboven, personeelsdirecteur van Martins NV, veegt zijn mond af. De krokante toast die zijn vrouw vooraf met boter en confituur heeft gesmeerd, laat hij onaangeroerd. Ze weet dat hij geen eetlust heeft als hem iets dwarszit. En met ouder worden is het er niet op verbeterd. Nog twee jaar en dan kan hij met pensioen. Ze kijkt ernaar uit. Aan Martins NV heeft hij al te veel tijd en energie besteed, vindt ze. Hoe een man – en niet enkel die van haar – zo bezeten kan zijn door zijn job, heeft ze nooit begrepen. Typisch mannelijk, denkt ze met een gevoel van vrouwelijke superioriteit. Over auto's en politiek kunnen mannen ook zo gewichtig doen.

'Komt er staking?'

'Dat weet je nooit vooraf. Er zijn geen regels meer. "De basis beslist," zeggen de bonden, wat in feite betekent dat enkele heethoofden het voor het zeggen hebben. Leiderschap bestaat niet meer in de vakbond.'

'Terwijl jullie zoveel opleiding over leiderschap geven.'

'Aan onze managers, liefje. Niet aan de vakbonden.'

'En waarom niet? Als het nodig is zoals je zegt.'

Hij schudt ontmoedigd het hoofd. Dat het water tussen werkgevers en werknemers altijd te diep zal blijven is een stelling waarvan hij zijn vrouw nog niet heeft kunnen overtuigen. Toen hij zowat vijftien jaar geleden verantwoordelijk werd voor het Human Resources Management van Martins NV, dacht hij ook nog dat een goede verstandhouding tussen vakbond en directie mogelijk en wenselijk was.

De werkelijkheid bleek anders te zijn. 'Arbeid en kapitaal zijn vijandige broers,' heeft hij onlangs op een conferentie gezegd: vanuit hun oorsprong zijn ze vijanden, maar ze zitten in hetzelfde nest en ze zijn gedoemd om samen te werken willen ze overleven.

'Een staking kunnen we missen als kiespijn. Alle productiecapaciteit is volgeboekt.'

'Dat weten de bonden ook.'

'Je kan het niet verhelen, liefje, dat je vader een vakbondsman was.'

'Je wist het vooraf. In het bedrijf heb je de bonden aan tafel, thuis in bed.'

'Nooit spijt van gehad.'

Hij vouwt zijn servet en geeft haar een kus.

'Nu moet ik weg. Een personeelsman geeft het voorbeeld door op tijd te komen.'

'En als je nu eens...'

'Vanavond.'

7.45 u.

Spitsuur rond de bedrijfsgebouwen van Martins NV. Het bedrijfscomplex ligt als een octopus in het centrum van Andleie, deelgemeente van Walle. Tegen alle regels van gezonde urbanisatie in. Maar de geschiedenis heeft zo haar eigen wetmatigheid... Honderd jaar geleden had Arthur Martins, de stichter van het concern, een kleine handel in ijzerwaren vlak bij het gemeentehuis. Intuïtief begreep hij dat er na de Eerste Wereldoorlog een nieuwe tijd zou aanbreken. Hij richtte een kleine werkplaats op waar hij allerlei gereedschap vervaardigde. De veralgemeende toepassing van de elektriciteit had hij juist ingeschat. Hij ontwikkelde een kleine krachtige motor geschikt voor handwerktuigen. Vandaag is Martins NV wereldleider in het fabriceren en verkopen van klein elektrisch gereedschap; met vestigingen in vijftien landen en een wereldwijd verkoopnet.

De eerste uitbreiding gebeurde in de gemeente zelf. Tussen de twee wereldoorlogen dacht niemand aan ecologie of aan milieuhinder. Integendeel. Hoe dichter het werk bij huis, hoe beter. Toen het begon door te dringen dat een bedrijfscomplex beter buiten de gemeente kon liggen dan er middenin, was het te laat. De verplaatsing van een vestiging met vierduizend werknemers kost klauwen vol geld. Er werden plannen gemaakt, maar de uitvoering kwam er nooit.

Mede door de weinig toegankelijke ligging is er 's morgens een chaotische drukte rond de fabriek. Er wordt getoeterd en met lichten geknipperd, men springt en holt, roept en lacht... tot de stroom werknemers binnen is.

'Dag Bert, wat hebben de militanten gisteravond beslist?'

'Staking, als er geen verhoging van het ploeggeld komt.'

Enkelen troepen samen rond Bert Schepers, de felle voorman van de grootste vakbond. Ze weten dat Bert de eigenlijke sterke man is.

'Is er nog een vergadering met de directie?'

'We zullen die nu eisen.'

'Verboven zal niet toegeven.'

'Hij zou wel willen, maar de grote baas niet.'

'De familie Martins is al rijk genoeg.'

'Vooruit jongens, anders zijn jullie te laat. Straks geven we informatie.'

''t Is goed weer om te staken, en veel te doen in de tuin.'

8.30 u.

Mijnheer Hubert stapt haastig zijn bureau binnen. De secretaresse weet uit ondervinding dat de snelheid van zijn stap omgekeerd evenredig is aan zijn goede humeur.

'Geef me Verboven door,' blaft hij.

Hij steekt in afwachting een sigaret aan, die hij meteen dooft in de asbak. Veel te vroeg, bedenkt hij opeens. Niet vóór de middag. Geleidelijk het roken afbouwen heeft hij zich voorgenomen. Tot er 's avonds nog een sigaar overblijft. Dat kan geen kwaad, heeft zijn arts gezegd.

'Dag Jef. Al nieuws?'

'Nog niet, mijnheer Hubert, maar we hebben een vergadering met de bonden om elf uur. Ik verwacht dat ze een stakingsaanzegging zullen indienen als ze geen voldoening krijgen over de verhoging van het ploeggeld.'

'Is er een risico dat de staking overslaat naar andere vestigingen?'

'Is er altijd. Hier is het hoofdkwartier en solidariteit is heilig bij de vakbond.'

'Hoeveel zou die verhoging kosten?'

'Op de loonmassa van de Belgische arbeiders is dat één procent.'

'Eigenlijk niet zoveel.'

'Nee, maar de cao zegt dat er geen bijkomende looneisen mogen worden gesteld.'

'Wat is een cao nog waard voor de vakbond?'

'Wat hij waard is voor de basis.'

'Wat stel je voor?'

'Het been stijf houden. Als de bonden de regels respecteren, hebben we na de aanzegging van staking nog tien dagen tijd om een akkoord te bereiken.'

'Oké, je hebt mijn zegen. Veel geluk.'

Als hij de hoorn neerlegt, vraagt hij zich af of Verboven wel de geschikte man is om in turbulente perioden de vakbonden het hoofd te bieden. De man wordt een dagje ouder... Hij moet er eens over nadenken. Een sterke manager van buiten het bedrijf aantrekken is misschien de beste oplossing. Met vakbonden moet je durven poker spelen. Daar is Verboven te braaf voor.

9.15 u.

'Slecht nieuws?' vraagt de secretaresse van Verboven als hij de hoorn hard neergooit.

'Ze willen een bijeenkomst met de vakbondsdelegatie. Nu meteen.'

'En wat op de agenda?'

'De verhoging van het ploeggeld. Wat anders?'

'Moet ik iemand verwittigen?'

'Vraag of Roger komt. We moeten zeker zijn van onze juridische positie.'

Roger Feys is de geroutineerde jurist van de personeelsdienst. Met twintig jaar ervaring weet hij alle punten en komma's staan in de sociale wetgeving. Om die kennis wordt hij op de arbeidsrechtbank regelmatig als expert gehoord.

Verboven ijsbeert door zijn kantoor. Hij hoopt dat Roger nog een juridische spitsvondigheid uit de hoed kan toveren om alsnog een staking te vermijden. Er moet toch een sanctieprocedure zijn voor het geval dat de bonden de cao met de voeten treden. 'Geen bijkomende looneisen,' staat er uitdrukkelijk in vermeld. Zes maanden geleden ondertekend door de secretarissen van de drie vakbonden. Als dat al dode letter blijft...

'Waar blijft Roger?' vraagt hij ongeduldig.

'Zijn secretaresse zegt dat hij nog niet binnen is.'

'Kan niet. Hij is altijd op tijd. En zeker nu hij weet dat er sociale onrust is.'

'Thuis neemt hij niet op en op zijn gsm krijg ik evenmin antwoord.'

'Geef me dan zijn assistent. Hoe heet die knaap ook weer?'

'Wim Albers.'

'Misschien weet hij waar Roger is.'

'Als hij het niet weet...' Ze lacht fijntjes.

Verboven slikt zijn ergernis in. Hij weet dat er in het bedrijf over die twee geroddeld wordt.

10 u.

Na een korte begroeting opent Verboven de vergadering.

'De bonden hebben een bijeenkomst geëist van de vakbondsdelegatie met een vertegenwoordiger van de directie. We zijn hier positief op ingegaan. Overleg is een van de pijlers waarop het personeelsbeleid van Martins NV steunt. Het heeft in het verleden zijn vruchten afgeworpen en we vertrouwen erop dat we het ook in de toekomst met elkaar zullen vinden...'

Hij rekt de inleiding lang. Op die manier verliezen de bonden wat van hun zelfzekerheid en worden ze minder impulsief. Hij is dan ook onaangenaam verrast als Bert Schepers hem onderbreekt.

11

'Mijnheer Verboven, we willen het kort houden. Onze mensen wachten op een antwoord... Is de directie bereid het ploeggeld te verhogen: ja of neen?'

'De bijkomende eis voor het ploeggeld is in strijd met de cao.'

Wim Albers naast hem knikt overtuigend.

'Wij willen juist dat die cao geamendeerd wordt.'

Er volgt een oeverloze discussie over de juridische draagwijdte van een akkoord dat in een cao is vastgelegd.

'Alleen ezels veranderen nooit van mening,' besluit Bert Schepers uitdagend. 'Die cao werd door de secretarissen van de bonden goedgekeurd in de veronderstelling dat ploeggeld geen deel van het loon is. De achterban is het daarmee niet eens en eist nu ook verhoging van het ploeggeld.'

Op dat ogenblik laaien de emoties zo hoog op dat Verboven inziet dat verdere discussie geen zin heeft.

'We nemen akte van de stakingsaanzegging en vertrouwen erop dat beide partijen in de eerstkomende dagen nog een consensus zullen bereiken. Iedereen weet immers dat een staking noch het bedrijf, noch de medewerkers ten goede komt.' Hij keert zich tot Wim Albers. 'Wil je hier uit juridisch oogpunt nog iets aan toevoegen?'

Albers stamelt verrast: 'Nee, ik denk... alles is volgens de regels verlopen.'

'In dat geval kunnen we de vergadering nu afsluiten.' De woorden van Verboven klinken verrassend abrupt.

Terwijl ze de vergaderzaal verlaten zegt Verboven tot Albers: 'Ga eens kijken wat er met Roger aan de hand is.'

'Naar zijn flat?'

'In een halfuurtje ben je heen en terug.'

'Nu meteen?'

'Misschien ligt hij doodziek op bed. Of een ongeval...'

'Is het dan niet beter...? De bedrijfsarts...'

'Heeft vandaag een snipperdag. Rij jij maar.'

Het lijkt Verboven of Wim Albers met tegenzin in zijn auto stapt.

Roger Feys de avond voordien

Hij vroeg zich af of hij er verstandig aan had gedaan om Wim Albers op zijn flat uit te nodigen. Maar het was zo vanzelf gegaan...

'Stoppen we ermee voor vandaag?'

Het was iets na 18 uur.

Ze borgen beiden hun papieren op. Toen Wim de krant in zijn aktetas stak, bekeek hij nog even de voorpagina. 'Man moordt gezin uit,' was de kop van het hoofdartikel.

'Realiteit overtreft vaak fictie,' was zijn commentaar.

Zo waren ze over misdaadliteratuur begonnen. Feys' hobby, ja, zeg maar passie.

'Je hebt alle *crime* klassiekers in je bibliotheek?'

'Kom eens kijken. Ik ben met plezier je gids. Heb je nu meteen iets om handen?'

'Nee, maar ik wil niet storen.'

'Er staat een fles wijn klaar. Je weet waar het is?'

Tijdens de rit kwam de twijfel op... Hij voelde zich op het bedrijf al zo kwetsbaar in de aanwezigheid van Wim Albers; in de intimiteit van zijn flat zou hij het nog meer zijn... Ja, het afgelopen jaar was heel anders verlopen dan hij zich voorgenomen had. Toen hij Verboven om een assistent vroeg, was dit met de onuitgesproken bedoeling dat hij er zelf mee wilde stoppen na de nieuwe medewerker te hebben opgeleid. Hij was weliswaar nog te jong om al met pensioen te gaan maar hij dacht er toch aan om eens iets anders te gaan doen. Als alleenstaande kon hij ruim de tijd nemen om uit te kijken. Het was zijn diepste wens een misdaadroman te schrijven tijdens een *sabbatical year*. Daarna zou hij verder zien...

En toen zat opeens sollicitant Wim Albers voor hem. Blond, helder blauwe ogen, een mond als een bloem, expressieve handen, een melodieuze stem in do mineur... De vesting die hij rond zijn hart had opgetrokken stortte daverend ineen. Hij was nochtans zeker van zijn stuk: nooit zou een vrouw noch een man in staat zijn om hem emotioneel uit evenwicht te brengen. Na de ontgoochelende ervaringen van zijn jeugd, had hij er definitief een streep onder getrokken. Exit cupido. Niemand mocht iets merken van de overrompeling die Wim Albers veroorzaakte. Wim allerminst.

Door de beperkte plaatsruimte was hij verplicht zijn bureau te delen met Wim. Wat hem aanvankelijk vrees inboezemde, bloeide open tot een feest. Wat een genoegen met zo'n jongeman te kunnen samenwerken...

Weldra dacht hij niet meer aan zijn *sabbatical year*. Zijn job kreeg opnieuw kleur en afwisseling. En die misdaadroman kon hij wel tussendoor schrijven. Hij voelde de energie opborrelen. Maar nu, na een jaar, realiseerde hij zich dat Wim hem in de meeste zaken kon vervangen en dat het eigenlijk een luxe was om de dienst met twee juristen te bemannen. Verboven had nog niets laten blijken, maar zodra de conjunctuur zou verslappen was de kans groot dat hij Wim zou verplaatsen... Hij verdreef dat scenario uit zijn gedachten, want nu was hij op weg om zijn meest intieme wereld aan Wim te tonen: zijn flat en zijn boeken en...

'Kom erin.'

Wim aarzelde. Voelde hij wat hij zelf voelde?

'Gezellig. En netjes. Doe je alles zelf?'

'De vrouw van de conciërge komt schoonmaken.'

Tegelijk begonnen ze te lachen; realiseerden zich dat ze als huisvrouwen aan het kletsen waren.

'Kijk gerust rond. Ik maak ondertussen de fles open.'

De schilderijen en tekeningen interesseerden Wim minder. Hij liep meteen naar de boekenkast. Bekeek de ruggen en las de titels...

'Je misdaadcollectie is indrukwekkend.'

Aan de hand van enkele klassiekers van het genre gaf Feys in kort bestek een historisch overzicht van de misdaadliteratuur.

'Ik wist niet dat misdaad zo boeiend kon zijn.'

'Hier, neem die drie mee: *A Study in Scarlet* met Sherlock Holmes, *Before the Fact* van Francis Iles en *The Remorseful Day* met inspecteur Morse in de hoofdrol. Als ze meevallen geef ik je meer.'

14

Ze stonden toen dicht bij elkaar; hij voelde als het ware de lichaamswarmte van Wim. Verraadde hij zich?

'Laten we gaan zitten,' zei hij en begon over het bedrijf te praten. Het zakelijke gesprek bracht hem opnieuw tot rust... Tot Wim opeens zei dat hij weg moest... Hij had toch niets om handen, vroeg hij... Maar Wim stond al bij de deur... Toen deed hij wat hij zich voorgenomen had niet te doen.

Een dag als een ander (vervolg)

11.05 u.

De plaats waar de avond voordien zijn auto stond is nog vrij. Wim Albers stapt haastig uit en loopt het flatgebouw binnen. Zoekt de juiste bel. Driehoog: Roger Feys. Hij drukt hard en lang op de belknop.

Niets beweegt. Wat moet hij nu doen? De conciërge uiteraard. Hij houdt langdurig de belknop ingedrukt... In de schemerige hal verschijnt een man.

'Wat is er?' Zijn stem klinkt niet toeschietelijk.

'Er is iets gebeurd met mijnheer Feys.'

'Wie bent u?'

Wim Albers legt de situatie uit.

'En omdat mijnheer Feys niet op het bedrijf is, denkt u dat hem iets overkomen is?' Er klinkt ongeloof in de stem van de conciërge.

'Hebt u een sleutel?'

'Van 3A? Nee, maar mijn vrouw wel.'

'Zou ze willen gaan kijken op zijn flat?'

'Doet ze niet zomaar.'

Een vrouw met boodschappentas komt de hal binnen.

'Wat is er, Jef?'

'Mijnheer denkt dat er iets met 3A gebeurd is.'

'We zullen het weldra weten. Ik moet er vanmiddag schoonmaken.'

'Kan het niet meteen? Ik ben van Martins NV. U weet toch dat hij daar werkt?'

'Ik weet alles. Kom mee.'

In de lift vraagt Albers: 'U hebt hem vandaag nog niet gezien?'

'Ik bespioneer de huurders niet.'

'Of zijn auto?'

'Da's waar ook. We hadden eerst kunnen gaan kijken in de garage. Maar nu we er toch zijn...'

Ze haalt een sleutelbos te voorschijn.

'*Tiens*, de deur is niet eens gesloten.'

Zonder kloppen stapt ze binnen... Slaakt een kreet van verschrikking... Een spoor van bloed tot aan de bibliotheek waar Roger Feys tegenaan ligt. Ze beseffen dat alle hulp tevergeefs is. Dood is dood. Toch bellen ze de ambulance. Omdat ze niet beter weten.

12.30 u.

Pas nadat het parket ter plaatse is en de identiteit en de verklaring van de ontdekkers van de misdaad is geregistreerd, kunnen ze beschikken.

Ondertussen heeft Albers met Verboven getelefoneerd.

Bij Martins NV heerst grote opschudding. Iedereen wacht ongeduldig de terugkeer van de adjunct van Feys af. Verboven slaakt een zucht van verlichting als Wim Albers eindelijk terug is.

'Ik heb de leidinggevenden al ingelicht via e-mail,' zegt Verboven. 'Beter dan geruchten te laten circuleren.' Hij loodst Albers zijn bureau binnen en doet de deur dicht. 'Ik denk dat je nu beter naar huis kunt gaan. Zo niet word je overstelpt met vragen en geef je antwoorden die je later kwalijk zullen worden genomen .'

'Ik zie niet in hoe. Ik heb niets te verbergen.'

'Heb ik jullie gisteravond niet samen zien vertrekken?'

'Klopt. Ik ben tot halfnegen op Rogers flat geweest.'

'Wanneer is hij vermoord?'

'Hoe zou ik dat weten?'

Verboven bijt zich op de lippen; beseft dat het een domme vraag was.

'Je denkt toch niet, Jozef, dat ik...?'

'Mensen zijn wreed, Wim. *Homo homini lupus*.'

'Maar toch niet dat ze zouden denken dat ik Roger...' Hij kan blijkbaar de woorden niet over de lippen krijgen.

'Ga naar huis, Wim, en blijf weg tot... tot na de begrafenis.'

'En het overleg met de vakbonden?'

'Als ik je nodig heb, dan bel ik wel.'

14 u.

Bij de wisseling van de ploegen houden de vakbonden een informatievergadering. Bert Schepers, gedelegeerde van de geschoolde arbeiders, leest vooraf een korte tekst.

'Vrienden, de vakbondssecretarissen hebben zopas een laatste onderhoud gehad met de directie en zullen u straks hierover informeren. Eerst moet ik u echter een droevige mededeling doen. Sommigen weten er al van, maar anderen die net zijn aangekomen hebben het nieuws nog niet vernomen.' Het is nu muisstil. 'Roger Feys, hoofd van de personeelsadministratie, is in zijn flat misdadig om het leven gebracht. Verdere bijzonderheden ontbreken alsnog. Roger was een plichtsgetrouw medewerker die voor zijn zaak stond. In onderhandelingen was hij hard en verdedigde met kennis van zaken zijn standpunt. Hoewel hij aan de andere kant van de tafel zat, dwong hij door zijn rechtlijnigheid ieders respect af. Wij zullen hem missen. Mag ik vragen een minuut stilte in acht te nemen om hem te gedenken.'

Na de stille herdenking brengen de secretarissen verslag uit van het recente overleg met de directie. Kort, want de directie houdt het been stijf. Geen verhoging van het ploeggeld. Waarna zij officieel de staking hebben aangezegd. Zonder tussentijdse toegevingen van de directie zal die maandag over een week ingaan.

18 u.

'Dag Betty, heb je het nieuws al gehoord?' Voor ze kan antwoorden geeft Bert Schepers haar een dikke zoen.

'Ben je benoemd tot directeur of zo?'

'Malle meid...' Hij houdt haar wat op afstand zodat hij haar in de ogen kan kijken. 'Roger Feys is vermoord.' Hij voelt hoe ze verstijft.

'Mijnheer Feys van de personeelsdienst?'

'Ze hebben hem vanmorgen in zijn flat gevonden. Doodgestoken met een mes.'

'Wie heeft het gedaan?'

'Dat moet de politie uitzoeken.'

'Ik heb nog een afspraak met hem. Hij is vrijgezel?'

'Klopt. Maar een geschikte vent. Sommigen beweren dat hij het bij mannen zocht... Waar is Johan?'

'Bij het buurvriendje.'

'Spijtig van die moord want ik kwam eigenlijk voor heel iets anders...'

'Zeg maar.'

'Je weet het toch?'

'Een vrouw hoort het graag.'

'Betty, wil je met me trouwen?'

'Waarom zo'n haast, Bert?'

'Het duurt nu al zo lang.'

'Ik ben bang.'

Ze blijven dicht en lang bij elkaar staan: hun lichamen één, hun gedachten wijd uit elkaar...

19 u.

Verboven komt in de woonkamer en blijft verrast staan. De tafel staat niet zoals gebruikelijk in de keuken gedekt, maar bij de open haard waarin het vuur knettert.

'Iets speciaals te vieren?' Zijn kus is vluchtig en afwezig.

'Je had toch gezegd *vanavond*?' Er klinkt verwijt in haar stem.

'Sorry... Het is vandaag...' Hij wuift in verwarring met de handen.

'De vakbonden? Staking?'

'Roger Feys is vermoord.' Hij betreurt meteen de mededeling zo zonder inleiding gedaan te hebben. Maar hoe breng je zoiets? Het woord 'moord' moet toch vroeg of laat in al zijn verschrikking vallen.

'Roger...?' Ze gaat erbij zitten. Vorige week was hij nog hun gast. Ze houdt van die fijne man; altijd zo verzorgd en zo delicaat. Het was telkens een feest, zo'n avond met hem erbij. Haar Jozef zakte dan wat weg in de vlotte woordenstroom van zijn medewerker. Werd hij op die momenten een beetje jaloers? Het resultaat achteraf was niet slecht... En nu is die charmante man vermoord...

'Een borrel?'

Terwijl hij inschenkt geeft hij het relaas van de gebeurtenissen... 'Maar veel weten we niet. Hij was vanmorgen afwezig zonder taal noch teken te geven. Niet zijn stijl. Na de bespreking met de vakbondsdelegatie is Albers naar zijn flat gereden. Samen met de concierge heeft hij Roger gevonden; dood op de grond, vlak bij zijn bibliotheek. Neergestoken met een mes. Albers heeft een en ander vernomen terwijl hij wachtte op het parket. Het moet gisteravond gebeurd zijn...'

'Een spoor van de dader?'

'De gerechtelijke molen is nu volop aan het draaien. Ik heb Albers naar huis gestuurd. Hij was gisteravond op bezoek bij Roger.'

'En denk je dat...?'

'Ik denk voorlopig niets. Of aan alles tegelijk; wat eigenlijk hetzelfde is.'

'Ik begrijp dat je niet in de stemming bent.'

'Moeten we niet dagelijks feestvieren dat we nog in leven zijn en dat we van elkaar houden... nog steeds?'

Hij neemt zijn vrouw in de armen en kust haar innig.

21 u.

'Zijn ze nog altijd bezig op 3A?'

'Wat ze al niet binnengebracht hebben aan apparatuur. Hele valiezen vol. En fototoestellen. Toen ik ze een drankje bracht kon ik even naar binnen gluren.'

'Die jonge inspecteur ziet er niet uit als een politieman. Doet me aan een of andere acteur denken. Hoe heet hij ook weer?'

'Jan Toets. En zeer vriendelijk.'

'Let maar op. Hoe vriendelijker, hoe gevaarlijker. Je hebt hem toch niet verteld dat wij...'

'Zo wijs ben ik wel.'

'Die moord kan ons alleen maar ellende brengen.'

'Hij zal vlug opgelost zijn. Ik heb de inspecteur verteld van die jongeman, Albers heet hij, die me haast omverliep in de hal. Het was toen halfnegen – weet ik precies – want ik wilde op tijd zijn voor *Broers en Zussen* op tv.'

'Je denkt dat hij het gedaan heeft?'

'Hij was volledig in de war; dacht dat ik een man was.'

'En jij met zulke bumpers.'

'Niet tot jouw ongenoegen.'

'Ik bedoelde het als een compliment, Marie.'

'Als zou blijken dat de moord dan gebeurd is, ben ik haast zeker dat die Albers het gedaan heeft.'

'Waarom zou hij dan de volgende dag terugkeren?'

'Nooit van gehoord dat een moordenaar teruggezogen wordt naar de plaats van de misdaad? Misschien wil hij zo bewijzen dat hij het niet gedaan heeft... Alsof hij zeggen wil: als ik het gedaan heb, zou ik dan terugkeren?'

'En waarom zou hij het gedaan hebben?'

'Ik ben geen speurder, Jef, maar passie tussen mannen... heviger dan tussen man en vrouw, zegt men. Hoewel ik er niets van begrijp.'

'Passie; altijd maar passie.'

'Tussen ons zou er wat méér mogen zijn.'

23.15 u.

Dienstdoend hoofdinspecteur Jan Toets glijdt onder de lakens naast vrouwtje Miet.

'Het is laat,' zegt ze. 'Al iets gevonden?'

'Niet veel meer dan toen ik je belde. Sommige analyses duren lang en de resultaten moeten eerst aan de onderzoeksrechter meegedeeld worden... en die werkt minder laat dan de speurder.'

'Slaap nu maar, want morgen is het druk neem ik aan.'

'Om acht uur al vergadering met Deforge en Aernout.'

'Slaap wel.'

Ze geeft hem een dikke knuffel.

Een kwartier later vraagt ze: 'Je slaapt nog niet?'

'Nee, mijn gedachten komen niet tot rust.'

'Zeg maar wat je bezighoudt. Dat helpt.'

'Ik wil je niet wakker houden.'

'Je weet toch dat ik niet slaap als jij niet slaapt.'

'Telkens als ik met een moord geconfronteerd word, overvalt me een gevoel van droefheid. Omdat ik me realiseer dat een moordverhaal begint op de verkeerde plaats. Het begint zogezegd met de moord, maar de moord is het einde van een voorgeschiedenis die veel vroeger begonnen is. Een geschiedenis met oorzaken en gevolgen, met feiten en emoties, met liefde en haat die mensen drijft naar een bepaalde plaats, op een bepaald tijdstip, waar dan de fatale doodslag gebeurt.'

'En dan word jij erbij geroepen, Jan...'

'Om als een krab achterwaarts in de tijd te kruipen. Om al dat weinig fraais dat tot de moord geleid heeft in de openbaarheid te brengen. Ik veronderstel dat Roger Feys een zeker aanzien genoot. Wat zal daarvan overblijven bij het einde van het onderzoek? En een groot aantal mensen uit zijn omgeving zijn zich nu nog van geen gevaar bewust; ze beseffen niet dat ze zullen worden betrokken in een proces waarbij alles van het begin tot het einde wordt onderzocht... Ik zal, met andere woorden, heel wat mensen in hun morele blootje zetten... En dat is een trieste bedoening.'

'Gerechtigheid heeft een prijs.'

'Die mede betaald wordt door mensen die bij de moord niet betrokken zijn, maar dat weet je slechts achteraf; als het kwaad is geschied, als de mooie façade is neergehaald.'

'Een rechte lijn trekken tussen de moord en de dader is onmogelijk.'

'Weet ik, Miet. Het is precies tegen dat wroeten in de poel van het menselijk tekort dat ik opzie. Ik heb dan het gevoel dat ik vuile handen heb.'

'Je hebt lieve handen. Dat weet ik... Leg ze hier.' Miet schuift dichterbij.

Handen spelen vaak de ouverture van het liefdesspel.

Eenheidspolitie of zoiets

'De Gerechtelijke Politie, de Gemeentepolitie, de Rijkswacht: nu één pot nat.'

'Zeg maar: eenheidsworst, Linders.'

'Geen worst, maar korps.'

'We zijn er in onze portemonnee beter van geworden, Nelly.'

'De bonden hebben hard geknokt.'

'Maar of het nu beter gaat...'

'Oude wijn in nieuwe vaten.'

'Jij drinkt enkel bier, Snels. Vandaar die buik.'

'Doe de kopjes nog eens vol, Nelly.'

Er is ogenschijnlijk weinig veranderd sinds het Octopusakkoord over de hervorming van Politie en Gerecht. In de bureaus van de Gerechtelijke Politie ruikt de koffie nog als voorheen en de nieuwe secretaresse Nelly loopt er even pittig bij. Hoofdinspecteur Verbrugge is weliswaar met pensioen, Jan Toets is nu dienstdoend, Snels moppert nog altijd, de jonge Raf Linders is aangeworven... maar de gesprekken bij de koffie hebben dezelfde toon behouden. En het taalgebruik is grover als Toets afwezig is.

'Er is wel iets veranderd,' zegt Nelly. 'Vroeger gebeurde het nooit dat de substituut-procureur, de onderzoeksrechter en de hoofdinspecteur overleg hadden.'

'En het duurt bovendien lang.'

'Men serveert niet iedere dag een moord.'

'Het was gisteren al een heksenketel.'

De drukte begon kort na de middag... De hulpdiensten die kwamen toegesneld op de telefonische oproep van de conciërge van Residentie Leieboorden, konden niets meer uitrichten. Roger Feys was een koud lijk met zes messteken. Er liep een spoor van gestold bloed vanaf de ingang van de flat tot bij de bibliotheek waar hij half tegenaan geleund lag.

'Jullie hebben niets aangeraakt?' vroeg de man in witte jas aan het conciërge-echtpaar en aan Albers die op de komst van de spoeddienst hadden gewacht.

'Verder dan de deur zijn we niet gekomen,' zei Albers.

'Goed zo. We verwittigen het parket.'

Een kwartier later arriveerde substituut-procureur des Konings Deforge. Hij belastte staande de zitting onderzoeksrechter Aernout met het dossier. Die op zijn beurt inspecteur Toets vorderde.

Aanvankelijk kon Toets zelf weinig uitrichten. Bij een misdaad is de wetenschap eerst aan de beurt... Foto's, monsternames van van alles en nog wat: bloed, stofdeeltjes, haartjes, vlekken... Vingerafdrukken uiteraard en bovenal het medisch onderzoek van het stoffelijk overschot van het slachtoffer: aard van de verwondingen, inhoud van de maag, wat onder de vingernagels zit... Toets weet dat het een lange checklist is. Hij maakt een afspraak met de wetsdokter om 's avonds langs te komen. Aan zijn medewerkers laat hij weten dat ze voorlopig niets hoeven te doen. De procureur zal dezelfde avond nog een persconferentie geven in verband met de moord. Door de drukte en de toeloop bij de residentie kan hij niet doen of zijn neus bloedt. Morgen zal, in functie van de eerste vaststellingen, beslist worden hoe het onderzoek verder zal verlopen.

'Ze zijn het blijkbaar niet eens. Al vijf over negen.'

'Daar komt Toets.'

Hoe het gekomen is weet niemand, maar sinds mensenheugenis noemt men elkaar bij de familienaam op de gerechtelijke dienst; enkel de secretaressen ontsnappen daaraan, met het gevolg dat niemand hun familienaam kent.

'Oef, het was even moeilijk, maar nu kunnen we aan de slag.' De directe stijl van Toets.

'Waarmee beginnen we?' vraagt Snels.

'Eerst de feiten en vaststellingen... Roger Feys kreeg zes messteken. Niet-professioneel toegediend. Eerder wild en in paniek, waaruit ik afleid dat de dader vermoedelijk een bekende van het slachtoffer is.'

'Da's al een gedurfde veronderstelling.'

'Juist, Linders. Neem haar aan voor wat ze waard is... Vermoedelijk uur van de misdaad: tussen acht en elf.'

'Kunnen ze dat niet preciezer bepalen? De geneeskunde maakt overal vooruitgang, maar om te weten wanneer...'

'Wanneer jij dood zult zijn zullen we het wel weten, Snels.'

'Dank je voor het wachten, Nelly.'

'Is 't goed, ja...? Sporen die een aanduiding kunnen geven zijn niet gevonden. Het mes evenmin. Op de tafel stonden twee glazen en een halflege fles wijn. Op een van de glazen zijn vingerafdrukken te vinden die niet van Roger Feys zijn.'

'En je zegt dat er geen aanduiding was, Toets.'

'Ik kan moeilijk aannemen dat iemand die erop let geen sporen na te laten, zo onbedachtzaam zou zijn dat hij een glas in de hand neemt en het achteraf niet schoonveegt.'

'Niet iedereen houdt het hoofd koel nadat hij iemand zesmaal met een mes heeft gestoken.'

'Akkoord, Nelly, maar we weten bijna met zekerheid wie de gast was die met Roger Feys de pomerol heeft gedronken.'

'Da's vlug. Heeft hij zich al bekend gemaakt?'

'Nog niet, maar de vrouw van de conciërge werd die avond om halfnegen in de hal bijna omvergelopen door een haastige jongeman die Wim Albers blijkt te zijn, de naaste medewerker van Feys op het bedrijf Martins NV.'

'Dat wordt een blits onderzoek. De moord gebeurde toch tussen acht en elf?'

'To jump to conclusions, Snels, is aartsgevaarlijk in gerechtelijk onderzoek... Zullen we de taken verdelen? Linders, jij brengt Residentie Leieboorden en zijn bewoners in kaart. Je zoekt uit wie er woont en wat de relatie met Roger Feys is... Snels, jij gaat gewoon op stap in Andleie en je legt je oor te luisteren in winkel of café. Da's jouw specialiteit: volks zijn met het volk. Zo verneem je soms meer dan in een officieel verhoor. Nelly, jij legt het dossier aan en informeert bij alle politiediensten of de naam Roger Feys ergens voorkomt. Je weet maar nooit of hij op een of andere lijst staat. Iedereen doet wel eens dwaze dingen als hij jong is... Ik zal alles nagaan in het bedrijf waar hij werkte; het verder onderzoek van zijn flat doe ik samen met Linders... Hier zijn foto's van het slachtoffer. Lees aandachtig het verslag van het lab eer je op stap gaat. Nog vragen...?'

'Wanneer zien we elkaar terug?'

'Morgenochtend bij het rapport. Als je iets belangrijks ontdekt, meld het aan Nelly, die het zal doorbellen of mailen.'

De dag van Snels

Omstreeks elf uur rijdt Snels het marktplein van Andleie op; althans hij probeert dat te doen en ziet nog net op tijd dat het bezet is door marktkramers. Hij herinnert zich hoe Toets tijdens het onderzoek naar de 'nieuwemaan-moordenaar van Bekegem' zijn oor te luisteren heeft gelegd bij de marktbezoekers. Tussen de wachtenden bij een of andere kraam wordt er inderdaad méér gebabbeld dan in de winkel. Vooral in een kleine gemeente waar iedereen iedereen kent.

Na enig zoeken raakt hij de auto kwijt in een van de zijstraten. Op de hoek van het marktplein is er een winkel in papierwaren waar ook kranten worden verkocht. Het lijkt Snels een goed idee om daar eens te testen hoe wijdverspreid het gebeuren van de moord al is. Hij is alleen in de winkel... 'Dag mevrouw. Weet u welke krant het meeste nieuws geeft over de moord op Roger Feys?'

'Allemaal evenveel en nagenoeg hetzelfde. Maar ik heb er geen enkele meer. Ze vlogen de deur uit.'

'Ik ben van de politie, mevrouw.' Snels zwaait met zijn legitimatiekaart.

'Mag ik even zien?' De vrouw neemt de kaart en bekijkt hem aandachtig.

'U bent zeer oplettend, mevrouw, en dat is maar goed. Onlangs toonde ik per vergissing mijn lidkaart van de judoclub om mij te legitimeren en niemand zag het.'

'Sinds ik twee valse briefjes van honderd euro in handen heb gekregen, kijk ik alles na. Vooral als iemand me niet bekend is.'

'Heeft de moord op Roger Feys veel beroering verwekt in Andleie?'

'De helft van de bevolking van de gemeente werkt bij Martins en mijnheer Feys had veel contact met de werknemers. In zijn dienst moest je zijn als er iets niet klopte met de betaling, met het pensioen of met wat dan ook. Hij kwam hier ook om zijn krant.'

'Welke?'

'Hij wisselde nogal. Kocht die met een cultuurbijlage. Vaak ging hij ook hiernaast naar binnen; daar woont zijn schoonzus, of beter gezegd zijn ex-schoonzus, want zijn broer is van haar gescheiden.'

'Ah zo, hoe heet ze?'

'Ze is nu hertrouwd. Alice Bauwens is haar meisjesnaam.'

'Hoe was mijnheer Feys?'

'Een echte heer; fijn en gecultiveerd. Mijn man – hij is ingenieur bij Martins – kent hem goed en heeft er veel respect voor.'

'Een man zonder vijanden?'

'Was het niet om te stelen?'

'Voor zover bekend werd er niets ontvreemd.'

'Wie heeft geen geheime kamers, inspecteur?'

Verstandige vrouw, denkt Snels als hij zich naar buiten haast. Pas dan ziet hij in de etalage het boek liggen: *Geheime Kamers* van Jeroen Brouwers. Bij de koopjes.

Wat later slentert Snels tussen de kramen op het marktplein.

Bij de Hollandse viskraam ziet hij een lange rij wachtenden; hij sluit aan. Twee dames voor hem zijn in druk gesprek...

'Volgens mij is het een kwestie van geld.'

'Maar er stond in de krant dat er niets gestolen was.'

'Bij hem, ja, maar op het bedrijf...? Feys was hoofd van de loon-dienst; er passeert daar nogal wat geld.'

'Ja, maar alles via de computer.'

'Maakt het alleen maar gemakkelijker om iets scheef te slaan... Ik zeg niet dat Feys het gedaan heeft, maar misschien heeft hij ontdekt dat er geld verdween en is hij een onderzoek begonnen.'

'En daarom zou hij vermoord zijn?'

'Of hij wilde zijn deel. Feys gaf veel uit aan boeken en schilderij-
en. Mijn man zei dat er in zijn bureau een schilderij hangt van... Hoe
heet hij ook weer? Ik moet aan "pipi" en "kaka" denken...'

'Picasso?'

'Juist. En dat is de duurste schilder van de wereld. Ik ken Feys zijn
ouders; daar heeft hij weinig van meegekregen. Zijn moeder woont
nog in de Oude Heirweg.' En de dame doet met luide stem heel de
stamboom van de familie Feys uit de doeken... Snels luistert mee. Stelt
af en toe een vraag. Niemand lijkt dat vreemd te vinden; hoe meer
figuranten in een schandaaltoneel, hoe liever.

'En wat voor mijnheer?' vraagt opeens de visboer.

'Hebt u meivis?' (Gisteren had Nelly bij de koffiebabbel gezegd dat
die vis weldra op de markt zou zijn en dat hij kwaliteit versus prijs
een aanrader is.)

'We zijn nog altijd april, mijnheer.'

'En aprilvis?'

Snels heeft de lachers op zijn hand.

'Ogenblikje, mijnheer.' De visboer keert zich om, rommelt wat in
een bak en reikt Snels een plastic zakje aan. 'En gratis, mijnheer.'

Snels durft niet te weigeren. Door de half transparante folie ziet
hij viskoppen en -afval.

'Verdomme, en het stinkt nog ook,' mompelt Snels kwaad. Zijn
moeder zou gezegd hebben: dat komt ervan als je altijd de leukste
wilt zijn... Waar raakt hij dat goedje kwijt? Die zak mag zeker niet in
de auto... Gelukkig ziet hij wat verder een afvalcontainer. Hij kiepert
het ding erin. En nu vlug de handen wassen in café Bacchus.

Van een kennis die bij Martins werkt, weet Snels dat dit café, vlak tegenover de hoofdingang van het bedrijf, zowat het trefpunt van de medewerkers is. Iedereen kan er terecht. Voor een pint aan de toog waarbij
het verschil tussen kaderlid en arbeider tot nul herleid wordt, voor een
partijtje kaart, voor een spelletje snooker, voor een belegd broodje, voor

een dagschotel... Café Bacchus is de praatbarak van Martins NV.

Nadat hij zijn handen gewassen heeft, bestelt Snels een pintje en voegt zich bij het gezelschap aan de toog. Niemand vraagt hem iets en Snels, die het klappen van de zweep kent, groet vaagweg; zo denken ze dat hij wel iemand kent. Met een 'oh' en een 'ah' reageert hij op forse uitspraken en na een rondje trakteren is hij een aanvaard lid van de groep. En beroepshalve een luisterend oor...

'Ik heb altijd gevonden dat Feys speciaal was. Ik weet niet waarom, maar ik voelde me bij hem nooit op mijn gemak.'

'Hij was altijd beleefd en vriendelijk.'

'Te vriendelijk vond ik.'

'Maar hij hielp waar hij kon.'

'Hij was, zoals men zegt, van de andere kant.'

'Op het bedrijf merkte je daar niets van.'

'En op de dag van vandaag ergert niemand zich daar nog aan.'

'En wie het wel doet is ouderwets.'

'Meer zelfs: doet aan discriminatie.'

'Toch denk ik dat je het daar moet zoeken waarom hij vermoord werd.'

'Homofiele jaloezie?'

'Zoiets. Ik kan het me moeilijk voorstellen, maar het bestaat, zegt men.'

'Heviger dan bij... wel, dan bij heteroseksuele relaties.'

'Da's een hele mondvol, Jos.'

'Gewoon gezegd: mannen onder elkaar zijn meer jaloers dan wanneer het om een vrouw gaat. Akkoord?'

'Ik heb horen zeggen dat Feys een vaste klant was van een bar langs de Wallense Steenweg...'

'De Oscar Wilde?'

'Precies. Hoewel homo's geen wilde lui zijn.'

'Oscar Wilde was een Engels schrijver die...'

'Ik heb een film gezien over zijn leven. Het begint altijd met jongetjes onder elkaar in die Engelse privéscholen. Daarom ben ik voor gemengd onderwijs.'

'Omdat je dan vroeg met meisjes kunt beginnen?'

'Zeg mensen, het gaat hier over een moord. Vergeet dat niet. Pubers puberen; maar iemand doodsteken...?'

'En zijn relatie met Albers?'

'Daarover wordt geroddeld...'

'De helft van de moorden is voor geld; de andere helft uit passie.'

Snels trekt zich diplomatisch terug uit het gezelschap aan de toog. Genoeg waardevolle informatie, vindt hij.

In afwachting van de komst van zijn dagschotel pleegt hij enkele telefoontjes om zijn verdere dagprogramma vast te leggen. Bij de biefstuk met frieten bestelt hij een half flesje beaujolais... Wie sprak ook weer van een bierbuik?

'U hebt uw ex-man niet op de hoogte gesteld van de dood van zijn broer, hoewel u zijn telefoonnummer in Parijs kent?'

'Nee.'

'Waarom niet?'

'Omdat zijn stem me pijn doet.'

'Een e-mail dan?' Snels wijst de computer aan.

Mevrouw Bauwens schudt het hoofd. Het is Snels duidelijk dat ze hem liever kwijt dan rijk is, hoewel ze toegestemd heeft in een gesprek toen hij het haar telefonisch vroeg. 'Maar dan wel zeer kort, want ik heb weinig tijd.' Wat zou ze doen met haar tijd, vraagt Snels zich af. Hij ziet geen teken van enige professionele activiteit. Of de pc misschien?

'Hoe was uw relatie met uw ex-schoonbroer?'

Even flitsen haar ogen onheilspellend. 'Zoals die hoort te zijn, neem ik aan. Tijdens de drie jaar dat ik met Bert Feys gehuwd was, hebben we elkaar leren kennen en waarderen. We werden vrienden. Na de scheiding zijn we dat gebleven.'

'Hij liep af en toe langs?'

'Roger was een kwetsbaar man. Als hem iets tegenzat, had hij behoefte aan een schouderklopje. Hij was tenslotte alleen.'

'Was hij echt alleen?'

'Wat de ziel aangaat... Ja.'

Snels vraagt zich af wat hij met dat antwoord moet doen. Niet op ingaan besluit hij.

'Had Roger Feys vijanden?'

'Die hem naar het leven zouden staan...? Met zijn broer boterde het niet omwille van een financiële kwestie, met de vakbonden lag hij voortdurend overhoop, op het bedrijf zijn er altijd jaloerse collega's... Maar dat leidt niet tot moord.'

'Zou het dan in de privérelaties te zoeken zijn...? Met wat u van hem weet, ziet u ergens een aanknopingspunt?'

'Hij was veel met misdaad bezig. Maar dan wel in de literatuur. Hij was zelf een roman aan het schrijven. Op echte feiten gebaseerd, heeft hij me verteld... Had hij misschien iets ontdekt?'

'Waarover ging het?'

'Méér weet ik niet.'

'Waar zou dat script zijn?'

'In zijn flat neem ik aan. De dader heeft niets ontvreemd, stond er in de krant.'

'Op het eerste gezicht althans. Of er papieren verdwenen zijn is moeilijk te achterhalen. Schreef hij met de pc?'

'Nee... Zeker weten. We hebben het daarover nog gehad. Hij behoorde tot de oude school... Schrijven op het scherm; nee, dat kon hij zich niet indenken.'

'Heeft hij ooit gesproken over een café of bar...? De naam Oscar Wilde zegt u niets?'

'Toch wel. Engels schrijver van toneel en sprookjes, en van de roman *The Picture of Dorian Gray*. Is veroordeeld wegens openbare homoseksualiteit. Genoeg als antwoord?'

'U weet meer dan ik. Hoofdinspecteur Toets zou zich op dat terrein beter thuis voelen.'

'Volstaat dat, mijnheer Snels? Mijn man kan ieder ogenblik thuiskomen en ik zou niet graag hebben dat hij met die zaak te maken krijgt. Voor ons beiden is mijn ex dood.'

'Helaas is het zijn broer die werkelijk dood is.'

Mevrouw Bauwens staat op om duidelijk te maken dat wat haar betreft het gesprek is afgelopen.

'Mag ik ook wat weten?' vraagt ze terwijl ze Snels voorgaat naar de deur. 'Is er al iemand bij zijn moeder geweest?'

'Onze secretaresse regelt dat met de plaatselijke politie. Die moet al langs geweest zijn.'

'Misschien weet zij meer te vertellen over haar zoon... Veel geluk, mijnheer Snels.'

'Dank u, mevrouw Bauwens.'

Buitengekomen aarzelt Snels: Feys z'n moeder ondervragen of een bezoek brengen aan de Oscar Wilde? Het laatste lijkt hem aantrekkelijker dan geconfronteerd te worden met moederverdriet. Toets of Linders kunnen dat beter aan.

De bar ligt langs de weg naar Doornik; het laatste huis van Walle, zo te zien. Het bordje met de aanduiding 'Province de Hainaut' staat twintig meter verderop.

'Ze zullen hier wel *bilingue* zijn,' mompelt Snels. Uit beroepservaring weet hij dat er langs de taalgrens etablissementen zijn waar de Waals-Vlaamse uitwisseling intens, maar vaak van verdacht allooi is.

Even vreest hij dat de bar niet open is, maar een licht binnenin verraadt dat er ten minste iemand thuis is.

Een vrouw kijkt verrast op als hij binnenstapt. Ze legt haar boek neer en staat op vanuit de knusse fauteuil. Ze is knap en slank; even lang als Snels. Een zwart aansluitende jurk favoriseert haar figuur, het gezicht is sereen; de blik intelligent.

'Dag mijnheer, eigenlijk openen we pas om 16 uur. Sorry, dat de deur niet gesloten was.' De stem is aangenaam; vol en diep.

'Ik ben van de politie, mevrouw.' Snels haalt zijn kaart te voorschijn. 'En ik zou u graag enkele vragen willen stellen.'

'We hebben niets te verbergen en we zijn met alle vergunningen in orde.'

'We...?'

'Mijn partner en ik. Sinds drie jaar zijn we hier... Mag ik u iets aanbieden?'

'Een Duvel graag.'

'Ik hou het bij koffie.'

Terwijl ze met de drankjes bezig is, kijkt Snels rond... Een gezellig interieur zo te zien, vooral 's avonds als de staande lampjes op de tafels zullen branden. Alsof ze zijn gedachten raadt, flitsen opeens de lichtjes aan. De fauteuils zijn in leder of zachte velours; alles zwart. Op de lichtgrijze wanden staan Engelse teksten. Snels leest... *The happiness of a married man depends on the people he has not married... Who, being loved, is poor? ...To be natural is such a very difficult pose to keep up... Dress is in its essence inartistic. Nothing should reveal the body but the body...*

'Geen café voor Jan met de pet,' zegt Snels, wijzend op de spreuken.

'Epigrammen van Oscar Wilde. Hij was bekend om zijn spitse taal. Maar ik neem aan dat u niet gekomen bent om over Wilde te spreken.'

'Het gaat over Roger Feys. U kent hem?' Snels toont haar de foto.

'Hij komt hier af en toe.'

'U weet dat hij vermoord is?'

Ze slaat verschrikt de hand voor de mond. Even lijkt het of ze in zwijm zal vallen.

'Kom, laten we gaan zitten.' Snels neemt het dienblad over en leidt haar naar de fauteuils. 'Sorry, dat ik het zo brutaal zei... U kende hem goed?'

Ze haalt diep adem... 'Ik mocht hem graag. Roger was een vriend... Of bijna. Wanneer is het gebeurd?'

'Eergisteravond. Met een mes neergestoken in zijn flat. De krant niet gelezen?'

Snels vertelt wat hij kwijt kan... en komt zo bij de reden van zijn bezoek.

'We weten dat hij hier klant was en dat het café bekend is in homofiele kringen... Ik neem aan dat Feys hier niet in zijn eentje kwam?'

'Soms alleen, soms met vrienden.'

'Met een jongeman van zijn dienst? Wim Albers?'

'Waarom vraagt u het als u het al weet?'

'Waren er nog andere?'

'Ik herinner me niemand in het bijzonder.'

Snels voelt dat ze liegt. 'Hij was zogoed als een vriend, zei u. Dan moet u toch méér weten over zijn relaties en zo.'

'Ziet u het beeld van de drie aapjes achter de bar? De regel van het huis. Ik hoor niets, ik zie niets, ik zeg niets.'

'Er is een moord gebeurd, mevrouw. Als u willens en wetens informatie achterhoudt, dan bent u medeplichtig.'

Snels meent dat hij ergens de doorspoeling van een toilet hoort. 'Is uw partner thuis?'

'Boris is naar een vriend in Gent; ik verwacht hem terug rond 18 uur.'

'U hebt de politie hier en nu niets méér te vertellen?'

'Het spijt me, inspecteur.'

Aan de manier waarop ze de benen kruist, voelt hij dat ze het gesprek als afgesloten ziet. Hij staat moeizaam op. Drinkt nog een forse slok Duvel. Graag was hij nog wat langer in haar gezelschap gebleven. Ze is het type vrouw waar hij voor valt...

'Wat me verbaast, mevrouw euh...'

'Vanneste, Julie.'

'Dit is een bar waar homofielen zich thuis voelen, maar die wordt uitgebaat door een heus paar van man en vrouw... Of vergis ik me?'

'Hier is iedereen welkom. Kom gerust eens met uw vrouw, inspecteur.'

'Moeilijk voor een vrijgezel. Maar we zien elkaar nog; officieel dan.' Hij glimlacht om de dreiging wat af te zwakken.

Als Snels in zijn auto stapt, vermoedt hij een spiedende blik achter het gordijn. Hij rijdt net voorbij de bocht de parking van een restaurant op. Vandaar kan hij de Oscar Wilde in de gaten houden. Hij durft er zijn hoofd op te verwedden dat haar partner wel in huis was.

Een kwartier later schuift de poort van de garage open en een Jaguar rijdt naar buiten. Als hij voorbijkomt ziet Snels duidelijk dat een man aan het stuur zit. Hij is wat traag in zijn reactie en zo komt het dat er drie auto's tussen hem en de Jaguar zitten. In de eerste straten van Walle raakt hij het spoor kwijt. Gelukkig hoort niemand de krachtterm van Snels.

Hij tikt het verslag van zijn dag uit en stuurt het per e-mail naar Nelly. Hij weet dat Toets niet gaat slapen eer hij alles weet.

De dag van Linders

Hij wil zo vlug mogelijk van zijn 'nieuw-in-de-job-imago' af. Na zijn studies Rechten en Criminologie wist hij eigenlijk niet waar zijn voorkeur naar uitging. Wel had hij het gevoel dat er tussen gerecht en gerechtigheid een kloof was ontstaan die alsmaar dieper werd. Als hij het juridische steekspel tussen advocaten gadesloeg, dan had hij het gevoel te kijken naar een toernooi in spitsvondigheden waarbij de actoren vooral aan zichzelf dachten en waarbij de ultieme vraag naar rechtvaardigheid niet meer aan de orde was. Dame Justitia troonde niet langer in de gerechtshoven; sensatie en de zucht naar mediabelangstelling zwaaiden er de scepter, met geldelijk gewin als ultiem doel.

Linders wilde wat anders en solliciteerde bij de Gerechtelijke Politie. Tot zijn verbazing werd hij aangenomen... Hij denkt dat het interview met dienstdoend hoofdinspecteur Toets de doorslag heeft gegeven. Bij hem heeft hij zich op zijn gemak gevoeld en heeft hij echt gezegd wat hij dacht.

Over de opleiding die hij gekregen heeft is hij tevreden, en hij had nooit verwacht dat hij zo vlug en zo zelfstandig aan gerechtelijk onderzoek zou mogen doen.

En hier zit hij nu... In de woonkamer van het conciërge-echtpaar Jef en Marie Dupon. Beiden veertig. Hij ietwat suf en moe, half kaal, doffe blik, slordig gekleed in trui en jeans, sigarettenpeuk tussen de lippen. Zij opgetut en opgemaakt, met oorhangers en ringen, slordig zwart rond de ogen, de lippen helrood, felle borsten, stevige benen onder een te korte rok... Linders is wijs genoeg om te weten hoe hij mensen aan de praat moet krijgen. Streel hun ijdelheid en ze pronken met hun veren; ze vertellen u alles zolang ze zich belangrijk voelen. Hij heeft hen uitgevraagd over de verantwoordelijkheid en de taken van een conciërge, heeft vol begrip geluisterd naar hun gedetailleerde verhaal, heeft af en toe voldoende verwondering en bewondering getoond. Hij heeft hun echter niet gezegd dat de eigenaar van de residentie hem over de telefoon al een en ander heeft verteld.

Ze zijn nu gekomen aan het hoofdstuk: huurders. Marie voert het woord, want zij weet er alles van; ze doet immers de schoonmaak in alle flats.

'U hebt dus overal inkijk?'

'Tot in de slaapkamer. Waar begin ik? Van boven...? Op de derde verdieping rechts, 3A dus, woonde mijnheer Feys. Aan hoofdinspecteur Toets heb ik al verteld wat ik over hem weet. Ook over zijn bezoeker van die avond. Veel is het niet; mijnheer Feys was nogal gesloten en ik mocht nooit schoonmaken als hij er was. Praten was er dus niet bij.'

'Kreeg hij dikwijls bezoek?'

'Van zijn moeder en schoonzus; zijn broer is hertrouwd, maar die heb ik hier nooit gezien. En verder mannen die ik niet ken.'

'Geen vaste vriend?'

'Soms voor een korte tijd en dan was het opeens gedaan.'

'Vanmiddag onderzoek ik samen met hoofdinspecteur Toets zijn flat.'

'En de zegels?' vraagt Jef.

'Die zullen we verbreken... en achteraf nieuwe plaatsen.'

'Er zijn al journalisten geweest om foto's te nemen. Ze wilden dat ik de deur opendeed.'

'Inspecteur Toets heeft toch duidelijk gezegd dat...'

'Ik heb ze weggestuurd.'

'Maar u hebt ze toch wel een en ander verteld...? Goed. Wie woont er op 3B?'

'Zeg jij het maar, Jef. Je gluurt altijd naar die pop.'

Hij haalt de schouders op om de woorden van zijn vrouw te relativeren. 'Je zou als man zelfs niet meer naar vrouwen mogen kijken...

Bovendien heeft ze haar mannetje. Een computerspecialist die veel op reis is in het buitenland.'

'Dan is ze alleen en ga jij een praatje maken, Jef.'

'Genoeg, Marie... Zij werkt in een parfumeriezaak. U kent dat type meisje wel, inspecteur. Altijd van top tot teen uitgedost alsof ze uit een modeboek is gestapt. Ze woont samen met die computervent maar ze zijn niet gehuwd.'

'En hun relatie met Roger Feys?'

'Voor zover ik weet is 't er een van goeie morgen en avond.' De vrouw heeft opnieuw het woord genomen. 'Ik zie niet in hoe ze iets met... met die moord van doen zouden hebben. Van 2A zou ik dat niet durven te zeggen.'

'Waarom niet?'

'Dan moet ik eerst zeggen wie 2B is... Mevrouw Jansen. De weduwe van een officier, twee jaar geleden gestorven bij een verkeersongeval. Een knappe vrouw en ik kan begrijpen dat een man haar aantrekkelijk vindt, méér dan die pop van 3B... Het is dan ook niet verwonderlijk dat 2A – Victor Daems – verliefd is op haar. Heeft hij me trouwens zelf gezegd en of ik een woordje voor hem kon doen. Ik heb niets tegen 2A, hij is gescheiden en heeft dus het recht opnieuw te beginnen, maar zoals hij jaloers is...'

'Jaloers op wie?'

'Op 3A.'

'Op Roger Feys? Ik dacht dat hij...'

'Het ene belet het andere niet. Ik weet alleen dat 2B, mevrouw Jansen, verliefd was op mijnheer Feys. Heeft ze me zelf verteld. Ze vond hem een fijne man en soms gingen ze samen uit: naar de film of naar een restaurant. En daarom was 2A jaloers, hoewel ik zei dat er geen reden was.'

'Hoe dacht mevrouw Jansen zelf over mijnheer Daems?'

'Hij was haar type niet, zei ze.'

'En u denkt dat mijnheer Daems zo jaloers was dat hij ...'

'Hij of die jongeman; de ene voor een vrouw, de andere voor een man.'

'Wie wonen er op de eerste verdieping?'

'1A is leegstaand en 1B is een ouder echtpaar; gepensioneerd en ze komen zelden buiten. Met mijnheer Feys hebben ze niets van doen.'

'En jullie beiden betrekken de benedenverdieping?'

'Ja, hier is ook de hal en de inrit van de garage. De flats zijn eerder klein; eigenlijk maar voor twee personen.'

Linders heeft begrepen dat voor verder onderzoek enkel 2A – Victor Daems – in aanmerking komt. En uiteraard ook het conciërge-echtpaar... Tot nu toe stellen ze zich op als zijn bondgenoten; zodra hij zal zeggen wat hij weet zullen ze zijn vijanden worden. En het ogenblik is nu gekomen...

'U zei dat flat 1A leegstaand is; dat kan als er niemand woont, maar de officiële huurders zijn de heer en mevrouw Dupon.'

Ze kijken elkaar verrast aan. Hoewel Linders' loopbaan bij de politie nog maar kort is, heeft hij toch al ervaren hoe naïef mensen kunnen zijn. Hadden ze dan werkelijk gedacht dat de politie er niet achter zou komen? Beseffen ze niet dat in geval van moord alles wordt uitgespit?

'Dat is toch geen misdaad,' reageert de man geprikkeld.

'Nee, maar waarom het dan niet bekendmaken?'

'Omdat het niets te zien heeft met de moord.' De vrouw ondersteunt nu voluit haar man. Ze legt haar hand boven op de zijne.

'Wat gebeurt er in die flat?'

'We onderverhuren ze aan...' Ze nodigt haar man uit verder te spreken.

'Aan paartjes die niet gestoord willen worden. U begrijpt wat ik bedoel, inspecteur?'

'Hoe weten die paartjes dat er hier een flat te huur is?'

'De een zegt het aan de ander. Zoiets is vlug bekend; mocht u weten wie hier al gekomen zijn... Door de discretie loopt de verhuur goed.'

'Alles in het zwart, neem ik aan.'

'Discretie in het wit bestaat niet, inspecteur. Of zou u willen dat ik een factuur opmaak?'

'Wist Roger Feys wat er in 1A gebeurde?'

'We hebben het aan geen enkele huurder gezegd, maar misschien hadden ze wel enig vermoeden. Maar niemand heeft daarover vragen gesteld.'

'Roger Feys zal wel geweten hebben wat er in de wereld te koop is... Misschien heeft hij toevallig iemand 1A zien binnengaan; iemand die absoluut niet gezien wilde worden...' Linders laat het vervolg van zijn veronderstelling onuitgesproken, waardoor het nog onheilspellender klinkt. 'Het is daarom voorbarig om te besluiten dat de handel en wandel in 1A niets met de misdaad te maken heeft.'

Het conciërge-echtpaar is eensgezind lijkbleek geworden.

'U werkt halftijds bij Martins NV, mijnheer Dupon?'

De man krimpt in elkaar. 'Als portier,' zegt zijn vrouw. 'Vijf jaar geleden heeft hij het aan zijn longen gekregen en sindsdien kon hij geen zwaar werk meer doen.'

'Roger Feys heeft u die job bezorgd?'

Beiden knikken. Linders weet van geen ophouden... 'Als hij u die job bezorgd heeft, kon hij hem dan ook afnemen...? Als u op het bedrijf iets zou doen dat niet door de beugel kan en Roger Feys komt erachter, dan zou hij wel verplicht zijn u te ontslaan... Of niet?'

In hun blik leest Linders nu openlijke vijandschap.

'Als u denkt, inspecteur, dat ik mijnheer Feys vermoord zou hebben om mijn job te redden, dan bent u glad verkeerd. Maar ik vergeef het u. U bent nog jong en moet nog veel leren.'

Als teken dat hiermee alles gezegd is propt hij nijdig zijn sigarettenpeuk in de asbak. Linders slaat op zijn beurt zijn blocnote dicht.

'Ik dank u beiden voor het gesprek.'

'En als er nog iets gezegd moet worden, dan doen we dat liever met hoofdinspecteur Toets. Die weet tenminste waar hij zoeken moet.' Marie Dupons boezem deint verontwaardigd op en neer. Ze kijken Linders naar buiten.

'Wat een akelig ventje,' is het eindoordeel van Marie.

'Ik denk dat ik maar beter Boris kan waarschuwen,' zegt Jef.

'Ze komen er toch achter. En wees maar zeker dat ze zullen vragen wie er allemaal op 1A geweest zijn.'

'Dan begin ik met onderzoeksrechter Aernout en dan zullen ze niet meer verder vragen.'

'Die zal ook niet meer goed slapen. Ik kan me voorstellen wat hij gedacht moet hebben toen hij vernam dat er in Residentie Leieboorden een moord was gebeurd.'

'Zijn liefje werkt bij de Gerechtelijke Politie?'

'Zij reserveert de flat.'

'Magistraat of niet, 't is overal hetzelfde.'

Linders drukt op de belknop van 2A. Tweemaal. Het blijft stil. Hij wist dat er weinig kans was dat de man op een werkdag thuis zou zijn; maar het is middag en je weet maar nooit. Hij wil net weggaan als de deur aan de andere kant van de hal opengaat. Een dame in effen beige peignoir kijkt hem aan. Het haar is naar achteren geborsteld, maar verder is ze zonder make-up, waardoor haar regelmatige trekken des te meer opvallen. Vooral haar ogen; er zit iets oosters in.

'Mevrouw Jansen?' vraagt Linders.

Ze knikt, blijft even besluiteloos... 'Sorry, ik ben herstellend van een griep en kwam net uit bad toen ik de bel van hiertegenover hoorde. Ik dacht...'

Ze stopt bruusk. Linders wacht maar ze maakt de zin niet af. 'Ik ben van de Gerechtelijke Politie. Raf Linders. Mag ik u enkele vragen stellen? Het zal niet lang duren.'

Ze houdt de deur uitnodigend open. 'Het ligt wat overhoop. Ik heb drie dagen in bed gelegen.'

Opnieuw verbaast Linders zich over de scrupules die vrouwen hebben als je hun interieur onverwachts binnenvalt. Hij ziet niets overhoopliggen en mocht ze nu zijn moeder zijn (maar daarvoor is ze net iets te jong) en hem vragen om op te ruimen, dan zou hij niet weten wat te doen.

'Het ziet er netjes uit,' zegt hij beleefd.

De woonkamer is geheel in beige: vast tapijt, plafond en muren. De meubelen zijn Engels (zoveel heeft Linders al van Toets geleerd) en de schilderijen zijn abstracte werken in felle kleuren. Mevrouw Jansen heeft smaak.

'Het gaat over Roger?' vraagt ze terwijl ze hem een fauteuil aanwijst. 'Jullie waren bevriend?'

'We voelden ons goed bij elkaar.' Ze lijkt het even moeilijk te hebben. 'Een aperitief? Sherry, port...?'

Bezig zijn met fles en glazen geeft haar de gelegenheid om de tranen terug te dringen. 'Ik ga hier weg,' zegt ze bruusk.

'U bedoelt verhuizen? Waarom?'

'Omdat Roger dood is en omdat mijn buurman me geen rust zal gunnen.'

'Victor Daems van 2A?'

Ze glimlacht even – verrukkelijk, vindt Linders. 'U praat als de conciërge... Ja, hij achtervolgt me. Hoe zegt men dat nu?'

'*To stalk?*'

'Precies. Ik ontmoet hem overal. Hij is niet boosaardig; veeleer poeslief. Als ik hem daarover aanspreek zegt hij dat onze vele ontmoetingen alleen maar bewijzen dat we twee zielen in één zak zijn; dat we dezelfde interesse en smaak hebben.'

'En Roger Feys in dat alles?'

'Met hem deel ik veel. Begrijp me goed, inspecteur, we zijn vrienden. Voor veel mensen is vriendschap tussen een man en een vrouw onmogelijk; maar met iemand als Roger is dat wel mogelijk. Zeg ik het duidelijk genoeg?'

'Ik geloof u, maar ik kan me voorstellen dat Victor Daems jaloers was op Roger Feys, die wel kreeg waar hij zo vurig naar verlangde. Nooit iets van gemerkt?'

'Toch wel. Hij was er niet vies van met modder te gooien. Hoe het mogelijk was dat ik met zo iemand overweg kon, begreep hij niet.'

'Heeft hij bedreigingen geuit?'

'Half en half. Zo in de zin van: die vent ga ik eens onder handen nemen... Maar als u denkt, inspecteur, dat hij daarom Roger zou vermoorden... Nee, daar heeft hij het lef niet voor.'

'Hebt u enig vermoeden in welke richting we de dader moeten zoeken?'

'Zeker geen vrouwenhistorie, geld misschien... maar ik denk vooral aan een afrekening onder mannen.'

'Homofiele jaloezie?'

'Of iets dat met het bedrijf te maken heeft. Daar is het al evenmin koek en ei. Bijvoorbeeld iemand die wraak neemt omdat hij ontslagen is.'

'Toch uitzonderlijk.'

'Er zijn overal gekken.'

Linders heeft een knus café op de markt van Walle opgezocht. Terwijl hij een spaghetti bolognese eet, bevloeid met een glas chianti, denkt hij na. Hij heeft vastgesteld dat zijn hersencellen het best functioneren in zulke omstandigheden: enerzijds opgenomen zijn in het gezelschap van een café of restaurant, anderzijds een eiland zijn in de drukte. Of zoals Toets het zegt: alleen zijn tussen velen.

In gedachten loopt hij nog eens door het flatgebouw... Van onder naar boven, van boven naar onder... Leest na wat hij genoteerd heeft in zijn blocnote... Zoals in iedere gemeenschap van mensen is er ook in Residentie Leieboorden jaloezie, ontucht, achterklap, verleiding; zijn er geheime kamers waar mensen liefde zoeken en kopen...

Maar de moordenaar is er vermoedelijk niet te vinden. Dat is althans zijn voorlopige conclusie. Een gesprek met 2A is wel nog nodig en hij wil ook verder uitpluizen hoe dat zit met het cliënteel (zo mag hij het toch benoemen) van 1A... De veronderstelling dat Feys daar getuige geweest is van het overspel van een invloedrijk persoon en dat die zelf of via een medeplichtige de bezwarende getuige uit de weg heeft geruimd... Nee, dat spoor wil hij nog niet opgeven. Veronderstel eens dat... In zijn verbeelding laat hij de hoogste prominenten van Walle de revue passeren en tracht in te schatten of ze in staat zouden zijn een moord te plegen of te laten plegen. Hij weet dat het allesbehalve een menslievende bezigheid is, maar ja, het doet eens deugd zich voor te stellen dat ook de groten der aarde mensen zijn met passies en angst.

Hij bestelt koffie en haalt zijn laptop boven. Pas om zestien uur heeft hij een afspraak met Toets om samen de flat van Roger Feys te doorzoeken, dus nog ruim de tijd om zijn verslag uit te tikken en het door te mailen naar Nelly... en hij wil haar ook eens bellen. Nu ze toch alleen is... Ze zag er vanmorgen weer zo schattig uit.

Toen hij in dienst kwam bij de Gerechtelijke Politie was hij meteen weg van haar, maar liet het uiteraard aan niemand blijken. Eerst wilde hij voldoende over haar te weten komen. Dat ze niet gehuwd was wist hij al na één dag; maar ze had wel een vaste vriend. Ze woonden niet samen, maar toch... 's Maandags vertelde ze dan waar ze met Danny (zo heette die nietsnut; hij had noch diploma, noch vast werk) naartoe was geweest. Naar zo'n megadancing of hoe zo'n 'massazweet-ding' ook heten mag. Linders, die een brave jongen was, hard had gestudeerd en aan het vrouwelijk gild nog niet zoveel aandacht had besteed, leerde door haar verhalen een heel andere wereld kennen. Enkele keren waagde hij zich ook in zo'n megading en zag er Nelly aan het werk. Want dansen leek ze met méér ernst te doen dan haar job bij de politie. Na enkele maanden was het uit met Danny; een jonge advocaat volgde hem op. Een totaal ander type; ernstig, van goede familie en overtuigd katholiek. Het was meteen te merken aan Nelly. Zowel in woord als in kledij werd ze een deftige juf. Ze ging zelfs naar de mis. Hij verwonderde zich over die snelle transformatie, maar Toets vertelde hem dat Nelly als een kameleon was in de liefde: zij nam dadelijk de kleur van haar partner over... Linders, die vond dat hij de vergelijking met Jo, de advocaat, kon doorstaan, deed enkele schuchtere toenaderingspogingen. Toets, die de situatie snel doorhad, gaf hem de raad zijn kans te wagen zodra het af was met die advocaat. Vier maanden geleden was het zover. Nelly had het zelf verkondigd: ik heb Jo de bons gegeven, want nu heb ik de man van mijn leven ontmoet.

Toets keek vol medeleven Linders' kant op. Wie het was, wilde ze niet zeggen. *Top secret*. Zoals met de vaders van de kinderen van vrouwelijke BV's... Linders treurde en hoopte in stilte. Ze zou vroeg of laat zijn capaciteiten wel opmerken.

Hij fleurt op als hij haar stem hoort aan de andere kant van de lijn...

'Ja, ik heb je e-mail ontvangen en het verslag gelezen. Je denkt dus dat de moordenaar niet in de Leieboorden te zoeken is.'

'Niet te vinden is, Nelly, maar misschien is verder zoeken in het flatgebouw wel nodig.'

'Maar als niemand van de bewoners de vermoedelijke dader is...?'

'Hij kan wel een bezoeker zijn.'

'Je hebt uitvoerig met het conciërge-echtpaar gepraat; zij weten toch meestal wie in- en uitgaat.'

'Ze houden vanuit hun loge een oogje op de normale bezoekers, maar of ze de identiteit van de occasionele huurders van 1A registreren, betwijfel ik. Die zullen ze alleen van zien kennen. Vooraf betalen en de sleutel in ontvangst nemen; zo gaat dat in zulke etablissementen.'

'Je schijnt goed op de hoogte te zijn.'

'Nelly toch...'

'Wat ga je nu doen?'

'Toets zal beslissen. Morgen horen we het wel.'

'Alle sporen wijzen toch in de richting van die Albers.'

'Ik zie straks Toets. Misschien weet hij meer.'

'Ik zou toch voorzichtig zijn met het onderzoek naar de bezoekers van flat 1A. Ze hebben niets met de moord te maken, maar kunnen wel door het onderzoek in een moeilijk parket komen.'

'Da's juist, Nelly, maar wij zullen discreet zijn. Het is niet omdat wij het weten dat iedereen het hoeft te weten.'

'Stel eens dat jij een regelmatig bezoeker van 1A bent...'

'Wat denk je wel van mij? Of wil jij meegaan?'

'Je weet toch dat ik niet vrij ben, Linders... Ik moet neerleggen; er is een andere buitenlijn. Daag!'

15.23 u.

Nog tijd voor een tweede koffie. Na het gesprek met Nelly heeft hij behoefte aan troost. Misschien heeft ze gelijk en moet hij niet nodeloos in de intimiteit van mensen snuisteren... Stel eens dat... En opeens krijgt hij een rode kop. Tussen zijn ouders botert het niet al te goed... Zijn moeder stil en teruggetrokken, vaak onderhevig aan melancholie. Zijn vader een nog fitte vijftiger; sportief en sociaal ingesteld. Zou het dan te verbazen zijn dat hij een relatie heeft met een levenslustige vrouw? Nee, dat mag hij niet denken... maar hoe harder hij de gedachte poogt weg te drukken, hoe scherper ze terugkeert. Nog goed dat hij flat 1A niet bezocht heeft; zo blijft althans de beeldvorming achterwege.

Hoog tijd nu om terug naar de Leieboorden te gaan. Toets is altijd stipt op tijd. Hij zal best weten wat er verder moet gebeuren. In zijn chef heeft hij het volste vertrouwen.

De dag van Toets

'Wees kalm; nu we hebben kennisgemaakt, drinken we een kopje koffie en praten we open en eerlijk met elkaar. Akkoord?'

Wim Albers knikt terwijl hij het koffiezetapparaat gereedmaakt.

Toets maakt van de pauze gebruik om de jongeman en zijn omgeving nauwkeurig te observeren... Nee, hij is geen moordenaar, denkt hij. Niet dat hij zich de gave toekent moordenaars van niet-moordenaars te kunnen onderscheiden, maar in een concrete situatie, wanneer feiten en omstandigheden bekend zijn, is hij nogal zeker van zijn intuïtie. Wim Albers is niet de man om iemand zes geweldige messteken toe te dienen. De jongeman heeft iets breekbaars over zich; met zijn blonde haren en blauwe ogen, fijne neus en scherp getekende lippen doet hij hem denken aan de voorstelling die hij zich maakt van de engel Gabriël die aan Maria de boodschap brengt; het gevolg van de vele 'annunciaties' die hij in allerlei musea gezien heeft. De bleekblauwe trui met rolkraag versterkt nog het effect van kwetsbaarheid. Hij is nog mama's kind, raadt Toets. Ook het interieur oogt veeleer als het 'kot' van een bakvisstudent dan als de kamer van een jurist-kaderlid. Eenvoudig ingericht en met smaak. Natuurposters aan de muur, een herkenbare litho van Raveel, een kleine boekenkast (straks van nabij bekijken, neemt Toets zich voor) en een bureau in Ikea-stijl. Het kleine keukentje ziet er kraaknet uit. Heeft hij opgeruimd toen Nelly hem, na zijn adres te hebben opgevraagd bij het bedrijf, het bezoek van de recherche aankondigde...? Albers leek opgelucht toen hij de inspecteur in de deuropening zag staan...

'Ik had niet gedacht dat u persoonlijk hierheen zou komen, mijnheer Toets.'

'Mijn secretaresse heeft u verwittigd?'

'Ik dacht dat een ondervraging altijd op het bureau van de politie gebeurde.'

'Leest u politieromans?'

Albers moest glimlachen. 'U praat Roger na.'

Daarna verliep het gesprek wat stroef. De registratie van officiële gegevens lijkt trouwens erg op een regelrechte ondervraging: naam, adres, geboorteplaats en -datum, beroep, gehuwd of samenwonend... Hieruit bleek dat Albers alsnog in Sint-Niklaas bij zijn moeder woonde en tijdens de werkweek dit 'studentenkot' in Walle betrok.

Het onderhoud werd nog moeilijker toen Toets vroeg om de vingerafdrukken op te nemen.

'Ik heb niets te verbergen, mijnheer Toets, het zijn mijn afdrukken op een van de wijnglazen.'

'Straks praten we daarover. Maar eerst elkaar leren kennen...' En Toets begon over zichzelf te praten... Hoe hij bij de politie was terechtgekomen. Wat zijn belangrijkste successen en mislukkingen waren geweest. Wat zijn professionele motivatie was. Hoe hij een gerechtelijk onderzoek deed... En hij besloot zijn uiteenzetting met: 'En nu eerst koffie voor we verder praten.'

'Vertel eens alles wat u voor de geest komt sinds uw begin bij Martins NV. Maar selecteer vooral niet; de vraag of iets van belang is voor de oplossing van de moord mag u zich niet stellen. Dat maken wij achteraf uit.'

'Het is niet gemakkelijk om zomaar in het wilde weg te vertellen... Het is dankzij Roger dat ik bij Martins begonnen ben. Ik solliciteerde tegelijkertijd bij enkele bedrijven zoals je dat doet als je afstudeert. Na het interview dacht ik: hem zou ik graag als chef hebben. En zo is het gekomen. Mijn moeder vond het jammer dat ik het niet dichter bij huis zocht, maar ik vond het juist leuker om van huis weg te zijn in de week. Ook dat speelde mee om mijn contract bij Martins te tekenen. Roger ving me goed op. Ik had nooit de indruk dat ik een ondergeschikte was; hij vroeg in alles mijn mening, hoewel mijn kennis nog miniem was. Maar zo leerde ik snel. En het spoorde mij ook aan om te studeren na de werkuren. Ik kende niemand in Walle noch in Andleie en bracht mijn avonden meestal alleen door. Roger trok zich dat een beetje aan en nodigde me soms uit om samen een film te gaan zien. *Moulin Rouge* en *The Pianist* hebben we zo gezien.'

'Of jullie dronken samen wel eens een glas?'

'Ja, hoewel Roger geen bierdrinker was. Hij hield meer van wijn en in café's... 'Château de la Pompe', zoals hij zei. We dineerden soms samen.'

'Waar?'

'Geen gastronomie met een hoofdletter... In leuke bistro's op en rond de markt van Walle. Ik weet ze te vinden, maar hun namen... Later nam hij me mee naar de Oscar Wilde.'

'Ken ik. Heeft een bepaalde reputatie.'

Onder de strakke blik van Toets kleurt Albers rood.

'Weet ik, hoewel ik durf te zeggen dat er tussen Roger en mij nooit iets geweest is dat verder ging dan vriendschap.'

'Maar zou er iets geweest kunnen zijn?'

'Ik weet het niet.'

Toets voelt dat Albers het moeilijk heeft. Hij weet dat hij nu moet oppassen om zijn gevoelens niet te kwetsen. Al te zeer wordt in de populaire opinie een strikte scheiding gemaakt tussen homo- en heteroseksuele geaardheid; zijn geploeter in het menselijk tekort heeft hem geleerd dat dit niet zo is. Wim Albers is er voor zichzelf nog niet helemaal uit. Voor zijn verdere ontwikkeling zal bepalend zijn welke mensen eerstdaags zijn levenspad kruisen. Zijn vroegere baas Verbrugge zei: het is nog een dubbeltje op zijn kant. Misschien blijven sommige mensen hun leven lang een dubbeltje op zijn kant. Roger Feys bijvoorbeeld?

'Jullie praatten niet alleen over het werk?'

'Tijdens de lunchpauze hadden we af en toe een babbel. Hoewel Roger meestal las of schreef.'

'Zijn hobby was misdaad?'

'U hebt zijn bibliotheek gezien? De compleetste verzameling van misdaadliteratuur in Vlaanderen, denk ik. Hij schreef bijdragen voor Mystery Magazine.'

'We delen blijkbaar dezelfde hobby.'

'Zijn chef Verboven heeft hij ook al warm gemaakt voor alles wat misdaad is. Op papier, bedoel ik.'

'Moorden met woorden, zeg maar. En uzelf?'

'Ik ben geen lezer en er zijn nog zoveel klassieke werken die ik niet gelezen heb... *Don Quijote* en *Madame Bovary* om er maar twee te noemen... Ik hield het daarbij, maar het enthousiasme van Roger werkte aanstekelijk.'

'Hij bracht boeken voor u mee?'

'Hij sprak erover en ik wachtte op een uitnodiging om zijn collectie eens te gaan bekijken. Achteraf gezien lijkt het me vreemd dat ik voordien nooit op zijn flat geweest ben.'

'Maar die bewuste avond wel.'

'Hij nodigde me uit. Door een bericht in de krant waren we over misdaad begonnen. "Mijn verzameling moet je nu eindelijk eens zien," zei hij, en we vertrokken meteen naar zijn flat; ieder met zijn eigen auto.'

'Waarom denkt u dat het precies die avond was dat hij u uitnodigde?'

'Ik zie geen reden. U wel?'

'Misschien verwachtte hij die avond onaangenaam bezoek en wilde hij liefst niet alleen zijn.'

'Als u het zo bekijkt... Er heeft zich in ieder geval niemand gemeld terwijl ik bij Roger was.'

'Hij drong niet aan om te blijven toen u vertrok?'

Toets bemerkt enige aarzeling eer het antwoord komt... 'Nee, hij gaf me drie boeken mee. Ik neem ze even...'

'Waarom moest u eigenlijk weg om halfnegen? De fles wijn was nog halfvol. Had u nog iets te doen die avond?' vraagt Toets schijnbaar achteloos terwijl hij de drie boeken bekijkt.

'Ik vond dat ik de eerste keer niet mocht overdrijven. Zijn uitnodiging was spontaan en hij was zeker niet voorbereid op een etentje. Er was bij de wijn niet eens een hapje. Ik zeg dat niet als een verwijt; alleen om duidelijk te maken dat ik honger kreeg en waarbij ik veronderstelde dat dat ook bij Roger zo was.'

'Een goede keuze,' zegt Toets naar de boeken wijzend... En dan zonder overgang... 'Had Roger Feys vijanden? Heeft hij die avond gesproken over iets dat hem dwarszat?'

'We hebben over twee onderwerpen gepraat: misdaadliteratuur en het bedrijf. Het eerste was de les van een meester aan een leergierige leerling; wat het bedrijf betreft hebben we het gehad over de huidige problemen. Er is sociale onrust en dreiging van staking. Uiteraard zat dat laatste Roger dwars, maar moeilijke onderhandelingen met de bonden zijn geen aanleiding tot persoonlijke vijandschap. Uiteindelijk is het toch Verboven die het laatste woord spreekt, al of niet na ruggespraak met mijnheer Martins.'

'U begrijpt dat u in een moeilijk parket zit?' Toets kijkt bij die woorden Albers strak aan. De jongeman schrikt van de strenge toon. 'Weet u wat een alibi is?' vervolgt Toets. 'Alibi is Latijn en betekent "elders". Een alibi hebben is kunnen bewijzen dat men zich op het moment dat een misdrijf gepleegd wordt, elders bevindt... U hebt geen alibi, mijnheer Albers; integendeel, u bevond zich in de tijdspanne dat de misdaad gepleegd werd in de flat van het slachtoffer.'

Het is de gebruikelijke tactiek van Toets: eerst op een bijna vriendschappelijke basis met de ondervraagde komen, om dan opeens zeer formeel de bezwarende feiten naar voren te brengen. De vuurproef voor zijn gesprekspartner.

'Maar denkt u echt dat ik dat zou doen...?' Albers is één en al hulpeloosheid.

Nee, dat is niet gespeeld, denkt Toets. 'Zou doen,' zegt hij en daarmee plaatst hij zichzelf vóór de feiten. Onbewust teken van onschuld...?

'Alle denken is subjectief. Als inspecteur mag ik alleen rekening houden met feiten en die zijn belastend voor u.'

'Wat kan ik dan doen?'

'Niets. Wachten tot we feiten ontdekken die voor iemand anders nog méér belastend zijn.'

'Verboven heeft me naar huis gestuurd. Hij denkt misschien ook dat ik...'

'Ik ga er nu naartoe. Tot ziens.'

Terwijl ze elkaar de hand drukken, zegt Toets: 'Als ik u was zou ik beginnen met *Before the Fact*. Daarin zult u lezen hoe een perfecte misdaad wordt voorbereid.'

Albers blijft onthutst achter. Hoe kan hij de zware vermoedens die op hem wegen afwentelen, vraagt hij zich af. Hij *moet* iets doen.

'Dag mijnheer Toets; uw secretaresse heeft me verwittigd van uw komst. Spijtig dat we moeten kennismaken onder zulke droevige omstandigheden.'

Verboven leidt de hoofdinspecteur zijn kantoor binnen. 'De eerste keer dat u bij Martins NV komt?'

'Inderdaad. Hoewel niet de eerste keer dat ik professioneel met het bedrijfsleven in aanraking kom. Spijtig om te zeggen, mijnheer Verboven, maar de witteboordencriminaliteit is alleen maar toegenomen.'

'De moord op Roger Feys is toch iets anders, denk ik.'

'Weet je nooit vooraf. Stel dat hij iemand op het spoor was die verduistering pleegde en dat hij daarom moest verdwijnen.'

'Hij zou mij ingelicht hebben. We waren twee handen op één buik.'

'De buik van Martins...? Men zegt dat het vertrouwen tussen chef en medewerker altijd hoger wordt ingeschat door de baas dan door de medewerker... Nee, nee, mijnheer Verboven, ik wil daarmee niet zeggen dat Roger u niet in vertrouwen genomen zou hebben, maar misschien wilde hij wachten tot hij harde bewijzen had en werd het wachten hem fataal.'

Ze zitten in de kleine salon, annex aan de werkkamer van Verboven. De secretaresse serveert koffie. Toets kijkt tegen een grote wereldkaart aan; ingekaderde covers van het jaarverslag van Martins NV vervolledigen de aankleding van de muren. Kunst is blijkbaar ver te zoeken binnen dit bedrijf, stelt Toets vast. Als het al niet kan in de spreekkamer van de personeelsdirecteur... Na wat hij op de flat van Feys gezien heeft, is hij benieuwd hoe zijn kantoor er zal uitzien. Maar eerst met Verboven in het reine komen...

'Mijnheer Verboven, ik wil zo goed mogelijk de bedrijfscontext waarin Feys zich bewoog leren kennen. Ik heb al een gesprek gehad met zijn medewerker, Wim Albers; nu zit ik bij zijn chef. Wat voor iemand was Roger Feys...?'

'Ik heb onlangs met Roger zijn competentieprofiel besproken; zijn professionele sterkten en zwakten, met andere woorden. Ik geloof niet dat een verslag van ons gesprek u een zier vooruit zou helpen; alle human resources-instrumenten zijn immers prestatiegericht en dienen tot meerdere eer, glorie en winst van het bedrijf. Amen.' Hij maakt hierbij een predikantengebaar. 'Wij trachten geen betere mensen te maken; wel betere bedrijfsatleten.'

Toets glimlacht minzaam. 'Nu de eenheidspolitie een politiek feit is, worden ook bij ons de moderne managementtechnieken binnengehaald.'

'Ik ben wel benieuwd hoe het statuut van vaste benoeming en een salaris volgens anciënniteit te rijmen valt met een prestatiebeoordeling... Maar ik draaf door, mijnheer Toets. U vroeg me wie Roger Feys was...'

Op dat ogenblik rinkelt de telefoon. Verboven rukt de hoorn van het toestel.

'Ik had toch gezegd niet te storen... Wie zeg je?... Wacht ik zal het even vragen aan de inspecteur...' Hij richt zich tot Toets. 'Mijn secretaresse heeft de vakbondsvoorman Bert Schepers aan de lijn. De bonden willen een rouwkrans voor Feys bestellen. Hij vraagt wanneer de begrafenis is. Het stoffelijk overschot...'

'...is beschikbaar voor de familie,' vult Toets aan.

'Zeg tegen Schepers dat het vermoedelijk zaterdag zal zijn, maar dat ik nog contact zal opnemen met Feys z'n moeder.' Hij legt de hoorn neer. 'Familie heeft hij niet veel; een broer die in Parijs woont en waarmee hij overhoop ligt en een oude moeder. Mijn secretaresse trekt zich de zaak aan. Het vrouwtje is geheel van streek; ze woont samen met een jongere ongetrouwde zus. Hebt u haar al gesproken?'

'Ik zie ertegenop... Keren we terug naar Roger Feys?'

'Eerst een praktische vraag, mijnheer Toets. Het is nu halftwaalf. Mag ik u uitnodigen voor de lunch in ons vip-restaurant?'

'Euh...' Toets denkt aan de broodjes die Miet heeft klaargemaakt. 'We hebben een apart zaaltje... Ja...?'

Hij geeft de reservering meteen door aan zijn secretaresse.

'Om op Roger terug te keren... Hij was een fijn man; een gentleman. Ik zie niet in hoe toestanden in het bedrijf aanleiding voor een moord kunnen zijn. Roger werd door iedereen gerespecteerd en dat hij mij zaken verzwegen zou hebben...? Nee, de moord moet met zijn privéleven te maken hebben.'

'Liet hij daarover iets los?'

'Helemaal niet; maar ik weet waarop u doelt... U hebt al met Wim Albers gepraat, zei u... Over hem en Roger werd er op het bedrijf geroddeld. Een knappe kerel en een niet-getrouwde oudere man waarvan men denkt dat... We zien tegenwoordig de wereld door een seksbril.'

'De bril van *Big Brother*... Maar bedoelt u daarmee te zeggen dat Wim Albers...?'

'Die valt flauw als hij een vlieg doodmept. Maar er kan een vroegere vriend zijn...' Verboven steekt in overgave de armen op. 'Maar ik ben niet thuis in dat wereldje.'

'Ik kan me evenmin voorstellen dat Wim Albers in koelen bloede zijn baas zou doodsteken. Mag ik u vragen toch eens goed na te denken of er zich geen situaties hebben voorgedaan waarbij Feys zich vijanden gemaakt zou kunnen hebben? Een ontslag bijvoorbeeld, een weigering van betaling, een strafmaatregel... Bij een onevenwichtig persoon kan dat voldoende zijn om een moord te begaan. Lees er de kranten op na.'

'Ik zal het onderzoeken. Van een ernstig feit moet er een bewijsstuk bestaan.'

'Ik zou graag een kijkje nemen in Feys zijn kantoor.'

'Hier aan het einde van de gang. Kom mee.'

Toets ziet meteen het verschil. Litho's aan de muur en... 'Is dat een Picasso?'

Hij bekijkt de tekening van dichtbij. Geen twijfel mogelijk: een originele schets.

'Hij was er trots op,' zegt Verboven. 'Hoewel ik het lelijk vind.'

'Mooi en lelijk zijn niet de juiste criteria voor Picasso.' Toets schrikt van zijn eigen woorden. Het is niet netjes om een personeelsdirecteur te wijzen op zijn gebrek aan artistiek gevoel. Maar Verboven schijnt het hem niet kwalijk te nemen.

'Roger zei precies hetzelfde,' zegt hij glimlachend. 'Zoals u ziet, inspecteur, alles netjes en ordentelijk. Aan die kant van het bureau zat Roger; aan de andere kant Wim Albers.'

'Het kantoor kan afgesloten worden?'

'Geen probleem. Ik heb een sleutel.'

'Wie nog?'

'Feys en Albers. Zoals u weet komt Albers pas terug na de begrafenis.'

'Goed; wilt u dan de kamer afsluiten? Het is mogelijk dat we een grondig onderzoek zullen doen. Ook de pc-bestanden onaangeroerd laten.'

'Sta ik borg voor, mijnheer Toets.'

'Spijtig dat ik u geen enkele indicatie kan geven, inspecteur,' besluit Verboven een uur later.

Ze zijn aan het hoofdgerecht toe: gebakken zeetong met knapperige frietjes. Verboven heeft met goedvinden van Toets een meursault als wijn gekozen.

De inspecteur heeft door gerichte vragen te stellen zowat alle mogelijke motieven voor moord de revue laten passeren... Worden er in het bedrijf drugs verhandeld? Feys komt een dealer op het spoor maar eer hij tot actie kan overgaan wordt hem het zwijgen opgelegd...? Er is een ombudsman in het bedrijf waar men terecht kan met klachten over ongewenst seksueel gedrag? En dat was nu net Feys? Een reden te meer... Heeft hij feiten vernomen die zwaar belastend zijn voor een personeelslid…? Wordt er gestolen in het bedrijf en heeft Feys…? En geld? Feys verzamelde kunst… Een Picasso koop je niet voor een prikje. Hij is van eenvoudige komaf…

Op alle vragen en suggesties ving Toets bot. Hij twijfelde niet aan de eerlijkheid van Verboven, maar kon zich toch niet van de indruk ontdoen dat de man zijn eigen bedrijf, inclusief de medewerkers, als een al te integere organisatie zag. Mijn kind, schoon kind.

'Door zijn interesse voor misdaadliteratuur had hij misschien connecties met het milieu en moet er in die richting gezocht worden,' oppert Verboven.

'De kennis die je in romans vindt, strookt niet met de werkelijkheid. Ik heb veel politieromans gelezen vóór ik bij de gerechtelijke diensten terechtkwam. Pas dan zie je de kloof tussen fictie en werkelijkheid.'

'U zou een interessante gesprekspartner voor Roger geweest zijn. Aan mij had hij niet zoveel, vrees ik.'

'Hij gaf u boeken te lezen?'

'Méér dan me lief was… Daarna wisselden we van gedachten. Hij vond mijn mening als modale lezer interessant voor zijn artikelen in Mystery Magazine.'

'Feys schreef zelf misdaadverhalen?'

'Hij had ideeën maar vond niet de nodige tijd of kon zich niet voldoende concentreren. Ik vreesde dat hij op een bepaald ogenblik verlof zonder wedde zou aanvragen om te kunnen schrijven.'

'Schreef hij op het werk?'

Verboven lacht. 'Als de bedoeling van uw vraag is of Feys tijd stal van zijn baas dan is het antwoord een categoriek "neen". Feys had een hoge arbeidsmoraal. Wel schreef hij soms tijdens de lunchpauze.'

'Op zijn pc?'

'Nee, met de hand. Roger heeft trouwens een sierlijk handschrift. Je ziet dat hij het met plezier doet.'

'Ik zal zijn bijdragen in Mystery Magazine eens moeten lezen.'

'Wat is het grote verschil, mijnheer Toets, tussen de fictie van de misdaadroman en de praktijk van de inspecteur? Of is dat niet in enkele woorden te zeggen?'

'Als ik een poging mag doen... In een detectiveroman biedt de misdaad zich aan in een duidelijk omlijst beeld van materiële en stilistische elementen. De speurder weet met zekerheid dat zorgvuldige verzameling en analyse van alle elementen hem zullen leiden naar de ontdekking van de dader.'

'En dat is in werkelijkheid niet zo?'

'Helaas...Niet zozeer omdat speurders geen intellectuele genieën zijn, maar omdat de elementen die een misdaad biedt onvoldoende zijn. Dat is trouwens de ultieme betrachting van de dader.'

'De dader wil slimmer zijn dan de speurder?'

'Precies; maar omdat de speurder een beroep kan doen op het hele wetenschappelijke apparaat van de politiediensten, is dat zeer moeilijk. Het is een gevecht van één tegen een heel leger. De verstandige misdadiger zorgt ervoor dat het nooit zover komt.'

'Ik schenk nog even bij, inspecteur...? Dat laatste begrijp ik niet goed.'

'Wel, hij zorgt ervoor dat de misdaad als een ongeluk wordt geklasseerd... Geen dader, geen verder onderzoek, een rustige slaap.'

'Zo'n mise-en-scène is niet eenvoudig.'

'Er zijn bekende voorbeelden... Uiteraard waar het niet gelukt is. Een procureur en een rector van de universiteit hebben het geprobeerd. Ze wilden van hun vrouw af.'

Verboven knikt. Hij weet wie Toets bedoelt.

'Allebei verstandige knapen die begrepen hadden dat enkel de versie van een ongeluk hen de nodige gemoedsrust zou geven om gelukkig verder te kunnen leven. Veronderstel even, mijnheer Verboven, dat u een moord begaat en dat de politie u niet kan aanhouden wegens gebrek aan bewijzen. Als dader weet u dat er wel bewijzen zijn die toevallig ontdekt kunnen worden... Zou u dan nog één rustige dag in uw leven hebben?'

'Ik moet er niet aan denken.'

'Het was een veronderstelling, mijnheer Verboven... Waarmee ik maar wil zeggen dat in werkelijkheid zogenaamde verklikkers, anonieme tips van jaloerse lui, en het toeval veelal belangrijker zijn dan de scherpzinnigheid van de speurder.'

Zo praten ze nog tot en met het dessert over fictieve en echte misdaad.

Bij het afscheid zegt Verboven: 'Het was me een waar genoegen u te leren kennen, mijnheer Toets. Hoogst interessant... Zou ik u eens bij mij thuis mogen uitnodigen? Dan kan mijn vrouw meegenieten van uw boeiende ervaringen. U hebt een partner?'

Toets kan een glimlach niet bedwingen... 'Vraagt u maar gewoon of ik getrouwd ben, mijnheer Verboven. Met al dat partnergedoe... Misschien verschil ik ook daarin met de fictieve speurder. Ik ben gelukkig gehuwd en heb een schat van een kind.'

Na het gesprek met Verboven was er nog net tijd genoeg om een bezoek te brengen aan de moeder van Roger Feys... Het was de jongere zuster waar ze bij woonde die opendeed.

'Past het? Ik ben inspecteur Toets van de Gerechtelijke Politie.'

Hij werd binnengeleid in de beste voorkamer; fauteuils met kanten doekjes op armleuningen en hoofdsteun, een bos kunstbloemen op tafel, een Onze-Lieve-Vrouwebeeld op de schouw, geur van boenwas, een monotoon tikkende staande klok, hoewel de tijd er blijkbaar stilstond...

'Mijn zus komt zo.'

Ze zag er nog flink uit voor haar 75 jaar: recht en slank, wit haar in een dot, lief gezicht met rimpels die een glimlach suggereren, grijze strakke jurk, gladde onderbenen...

Ze bleef waardig rechtop in de fauteuil zitten terwijl Toets, na zijn medeleven uitgedrukt te hebben, de formaliteiten afhandelde en vervolgens verslag uitbracht over de stand van het onderzoek. Pas toen hij afsloot met... 'Zover zijn we tot nu toe gevorderd, mevrouw, maar misschien weet een moeder bepaalde dingen die niemand anders weet en die belangrijk kunnen zijn voor het vinden van de dader...' trok een rilling door het frêle lichaam.

'Hoe zou ik, inspecteur? Moord is buiten alle proporties. Roger had geen vijanden.'

'Hij heeft niet laten blijken dat hij ongerust was of dat er gevaar dreigde?'

'Hij was integendeel zeer opgewekt. Er was geen sociaal conflict op het bedrijf dat hem uit zijn evenwicht kon brengen. En hij had plannen om een misdaadroman te schrijven... Ironie van het noodlot.'

'Had uw zoon een vaste relatie?'

'Men heeft u gezegd dat hij homofiel was...? Maar daar ben ik niet zo zeker van. Hij heeft relaties met meisjes gehad, ook met mannen. Maar of het vriendschap of liefde was...? Ben ik ouderwets, inspecteur, als ik zeg dat ik daar met hem niet openlijk over sprak?'

'Hoe was de relatie met zijn broer?'

Was ze verrast dat hij van onderwerp veranderde? Het antwoord kwam niet meteen.

'U weet dat Robert in Parijs woont?'

'Een ondervraging is vlug geregeld.'

'Hij was totaal van streek toen ik hem het brutale nieuws meldde. En hij komt naar de begrafenis, zei hij.'

'Uw zonen waren erg verschillend?'

Ze glimlachte droevig. 'Ik weet al dat een politieman met de exvrouw van Robert heeft gesproken... Maar ze leken inderdaad niet op elkaar; noch fysisch, noch van karakter.'

Het zwijgen van Toets vroeg om méér uitleg.

'Roger was de oudste. Altijd een braaf kind geweest. Studeerde goed. Deed alles wat we vroegen...' Ze praatte nu als het ware tegen zichzelf. Een monoloog die ze dikwijls gehouden had? Om in het reine te komen met haar kinderen...? 'Hij was een kind om van te houden. Terwijl Robert... Vier jaar jonger was hij. Al weerbarstig in de wieg. Later als tiener... Toen stierf mijn man. Robert liep van huis weg... En toch. Hij had een charme waardoor hij iedereen voor zich winnen kon. Vrouwen vooral. Misschien gaf ik hem ook te veel toe als hij...' Ze stopte abrupt alsof ze zichzelf betrapt voelde.

'Hij vroeg geld?'

'Het is beter dat ik het vertel dan dat u het van hem moet vernemen... We zijn geen rijkelui. Toch heb ik door spaarzaam te zijn een sommetje opzij kunnen zetten. Toen Robert na twaalf beroepen en dertien ongelukken met een nieuwe lei wou starten, heb ik hem financieel geholpen.'

'Met uw spaarcenten? Waarop uw andere zoon evenveel aanspraak kon maken?'

'Ik hoor dat u ondervinding hebt, inspecteur. Het vervolg kan u raden. De transportonderneming die Robert oprichtte ging failliet en weg waren alle centen.'

'Was Roger erg kwaad?'

'Niet op mij. Ik had alleen gedaan wat mijn hart me ingaf, zei hij. Maar wel op zijn broer die voor de zoveelste keer bedrog had gepleegd... Ik begrijp nu ook, inspecteur, dat ik het had moeten bespreken met mijn beide kinderen, maar zoals ik al zei, Robert wikkelde iedereen rond zijn vinger.'

'Waren ze sindsdien vijanden?'

'Vijanden...? Nee, maar ze hebben geen rechtstreeks contact meer met elkaar. Alles loopt via mij... U denkt toch niet, inspecteur...? Ik vergeet gewoon dat we met een moord bezig zijn. Nee, dat is al te gek.'

'Een moord is altijd gek, mevrouw.'

'Ik heb geen Kaïn en Abel gekweekt.'

'Toch zal ik verplicht zijn, mevrouw, om te onderzoeken waar uw andere zoon zich bevond op de avond van de moord... Zijn alibi, zeg maar.'

Ze richtte het bovenlichaam op, drukte zich tegen de rugleuning van de fauteuil aan.

'Diezelfde avond kwam Robert hier... Hij was voor zaken in Brussel geweest. Rond vier uur belde hij me op vanuit zijn auto. Hij was op de terugweg naar Parijs en bevond zich voorbij Gent. Hij vroeg of hij even kon binnenwippen; Andleie ligt toch langs de autoweg. Ik was blij. Het was lang geleden dat ik hem nog gezien had. We hebben een gezellige babbel gehad. Roger kwam niet ter sprake... En hij is vertrokken rond acht uur...' Ze slaat de handen voor het gezicht; de dijk van de weerstand is gebroken.

Met het wenen van een vrouw weet Toets geen raad. Hij begrijpt wel haar angstige vermoeden... Zou het toch kunnen dat mijn zonen elkaar in die mate haten? Dat de geschiedenis van Kaïn en Abel zich ook in mijn kinderen herhaalt? Dat ik schuldig ben omdat ik de ene boven de andere verkozen heb?

'Mevrouw Feys...,' zegt hij. Ze kijkt niet eens op. Hij staat op, gaat naar haar toe en legt zijn hand op haar schouder. Hij beseft dat hij het doet omdat ze hem aan zijn eigen moeder zaliger doet denken... En omdat hij worstelt met vragen... Mag hij haar nog zolang in die prangende onzekerheid laten? Heeft hij voldoende argumenten om haar gerust te stellen...? Nee, maar toch waagt hij het erop. Een moeder verdient het.

'Mevrouw Feys, wat ik nu zal zeggen is mijn eigen overtuiging. Ik weet echter niet of het in de werkelijkheid ook zo gegaan is. Ik begrijp dat voor u het beeld van broers die elkaar doden het allerverschrikkelijkste is. Toch meen ik dat het niet zo gebeurd is. Ik leg uit waarom...'

Het snikken houdt op. Hij gaat weer zitten. Ze kijkt hem aan met gretige, rode ogen.

'Sorry voor de details, mevrouw, maar ze zijn belangrijk om mijn hypothese te onderbouwen... Uw zoon werd neergestoken bij de voordeur van zijn flat. De bloedsporen lopen tot bij de bibliotheek waar hij neergevallen is. Dat alles doet vermoeden dat de moordenaar direct heeft toegestoken zodra uw zoon de deur opendeed. Wat wil zeggen dat de dader gekomen was met het doel te doden. In juridische termen: *met voorbedachten rade*.'

Ze knikt. Toets begrijpt het als: 'Ga maar door.'

'In de drift van het ogenblik kan men een moord begaan; ik weet van een geval waarbij het ging om een inhaalmanoeuvre, maar deze moord is begaan in koelen bloede. Ik zie dat niet zo gauw gebeuren tussen uw zonen en zelfs al zou er een dodelijk haatgevoel tussen beiden bestaan, dan zou uw Robert verstandig genoeg zijn om het vonnis op een andere manier te voltrekken. Hij zou zijn misdaad niet combineren met een bezoek aan Brussel waar derden hem gezien zullen hebben, en zeker niet met een bezoek aan zijn moeder een uurtje voordien... Is mijn redenering u duidelijk, mevrouw Feys? En overtuigt ze u?'

Ze veegt met de mouw haar tranen uit de ogen. Knikt opnieuw.

'Het is natuurlijk maar een hypothese, mevrouw Feys, maar ik ben voor 99% zeker dat het hier niet om een broedermoord gaat. Wanneer uw zoon hier is voor de begrafenis zal een kort gesprek voldoende zijn om de zaak in het reine te brengen. Ik ben daar stellig van overtuigd.'

'Dank u,' mompelt ze.

'U bent een sterke vrouw. En wees gerust, we zullen de dader van de moord op uw zoon vinden.'

Ze gelooft de jonge inspecteur. Omdat ze zich al beter voelt?

Linders en Toets komen gelijktijdig aan bij Residentie Leieboorden.

'Belangrijk nieuws?'

Linders weet dat Toets zijn medewerkers in sterke mate beoordeelt op de duidelijkheid en de beknoptheid van hun rapportering. Vóór de lift stilstaat op de derde verdieping heeft hij de essentie van zijn bevindingen verteld.

'Al doorgemaild naar Nelly...?' Terwijl Toets de zegels controleert, ze vervolgens reglementair verbreekt en de deur opent, geeft hij in enkele zinnen het relaas van zijn gesprekken. Beiden begrijpen van elkaar dat er nog geen eenduidig spoor gevonden is... 'Misschien ontdekken we hier iets,' suggereert Linders.

'Gisteren heb ik alleen maar gekeken en niets aangeraakt. Maar het is nu al duidelijk dat ze in het lab niets vinden dat ons een aanwijzing geeft. Vingerafdrukken van Albers en van de schoonmaakster... Dat is alles... Wat is je eerste indruk, Linders?'

Hij weet dat het opnieuw een examenvraag is... 'De woonkamer van een intellectueel die artistiek gevoel heeft, die ordelijk is en soberheid nastreeft.'

Toets knikt goedkeurend. Er is de grote propvolle boekenkast, de gravures en tekeningen aan de muren, de sobere designfauteuils, het netjes opgeruimde bureau, het proper blinkende interieur... Waren er niet de tekeningen van de bloedvlekken en van het gevallen lichaam geweest, dan zou je kunnen verwachten dat Roger Feys ieder ogenblik binnenkwam.

'Ik denk ook dat hij veel interesse had voor de duistere kanten van de menselijke ziel.' Toets wijst de gravures aan. 'Blake, Redon, Ensor... Allen alchemisten van de menselijke grondstof... En niet te vergeten zijn interesse voor misdaadliteratuur. Verdelen we het werk? Ik neem de boekenkast en het bureau voor mijn rekening... Jij doet de rest: kasten, hal, slaap- en badkamer.'

Linders zou het liever omgekeerd zien maar zwijgt wijselijk.

Ze doen het onderzoek in stilte...

Na een uur vraagt Toets: 'Niets speciaals?'

Linders is blij met de onderbreking. Snuffelen in de spullen van iemand die overleden is, maakt hem triest. Die grote kast op de slaapkamer bijvoorbeeld... De jassen en pakken die aan de kleerhangers hangen... alsof het zovele dode Roger Feys'en zijn. En het netjes opgevouwen ondergoed... klaar voor een frisgewassen lichaam. De zeep op de lavabo half opgebruikt, de tube tandpasta bijna uitgeperst... De aftershavelotion... *Eau sauvage.* Geur van citrusvruchten en specerijen. Veel potjes en zalfjes... Feys verzorgde zich blijkbaar goed.

'Alles normaal. Geen enkele aanduiding.'

'Kom dan maar hier.'

Toets zit aan het bureau waarop drie ordners en een adressenboek liggen.

'Feys was zorgvuldig. Alles netjes geordend.' Toets wijst de ruggen van de opbergmappen aan. 'Voor passie en of geld wordt er gemoord. Daarom moeten we die verder uitpluizen.'

Linders leest de opschriften van de ordners: 3. Financiën en beleggingen; 6. Privécorrespondentie; 7. Crime and Mystery.

'Die laatste map is meer voor de aardigheid,' lacht Toets. 'Ze bevat allerlei aantekeningen over misdaadliteratuur en artikelen die hij geschreven heeft voor Mystery Magazine. Maar je weet nooit. Wie met het zwaard omgaat, zal door het zwaard vergaan. Wie met misdaad bezig is, kan door misdaad vergaan.'

'Doen we het hier?'

'Nogal luguber, vind je niet? We nemen die ordners mee en werken nog een paar uurtjes op de dienst. Maar eerst de boekenkast nog eens bekijken.'

Ze gaan beiden bij het imposante meubel staan.

'De crème van de misdaadliteratuur,' zegt Toets waarderend.

'Ik moet nog veel leren,' geeft Linders toe.

'Om goed je job te kunnen doen kun je beter zo weinig mogelijk van dat spul lezen. Lees misdaadromans om je te ontspannen, maar niet om te leren hoe je een misdaad oplost. Het is *fake* tot en met. Die boeken zijn geschreven voor het plezier van de lezer en niet tot onderricht van de speurder.'

'Maar je leest ze toch?'

'Jawel, maar als een soort rebus. Ik tracht te ontdekken waar de auteur onjuist, onwaarschijnlijk of ongeloofwaardig is. Vooral dat laatste komt vaak voor.'

'Geef eens een voorbeeld.'

'De monologue intérieur is een procédé dat in de moderne roman gemeengoed is. Als iemand een moord begaan heeft, kan ik me voorstellen dat de gedachte daaraan allesoverheersend is bij de moordenaar. *Ik heb een moord begaan*, denkt hij van 's morgens vroeg tot 's avonds laat... Juist? Welnu ik heb romans gelezen waarin moordenaar X spreekt, handelt en denkt zonder dat die gedachte aanwezig is. Als ik dan op het einde van de roman moet vernemen dat X de dader is, dan voel ik me als lezer bedrogen.'

'Een moordenaar mag dus in een misdaadroman niet bij zichzelf denken?'

'Precies. En dat heeft Raymond Chandler goed begrepen. Kijk, hier staan zijn romans. *The Big Sleep*, bijvoorbeeld. Daar vind je geen enkele monologue intérieur in terug. Alles is, naast beschrijving, spreken en handelen.'

'Nogal arm als literatuur.'

'Zijn boeken blijven overeind door het personage van de cynische speurder Marlowe. Chandler zei trouwens: "Als ik niet meer weet hoe het verhaal verder moet, dan laat ik een deur opengaan en komt er een man met een pistool binnen." Weinig origineel, maar het werkt nog steeds.'

'Om als beginneling te starten met de misdaadroman... Welk boek raad je me aan?'

'Aansluitend met wat ik zojuist gezegd heb, zou ik je dit boek aanbevelen.'

Toets gaat op zijn tenen staan en haalt uit de kast een keurig ingebonden exemplaar te voorschijn.

'*Trent's Last Case* van E.C. Bentley.'

'Nooit van gehoord,' zegt Linders.

Toets opent voorzichtig het boek. 'Hmm, de eerste druk van 1913... Waarom ik je dit aanraad, Linders...? Je hoeft Poe en Doyle niet meer te lezen. Bentley zelf vond Sherlock Holmes maar een excentrieke koude kikker. Daarom schreef hij dit boek als tegenhanger. Het is lichtvoetig en er komen amoureuze verwikkelingen in voor. En wat méér is, de oplossing die de speurder vindt – en die met de feiten klopt – blijkt niet de juiste te zijn. Het boek betekende een breuk met het personage van de alwetende geniale speurder. Die trouwens niet bestaat. Het is de eerste "moderne" misdaadroman met een speurder die van vlees en bloed is. Hier, neem het mee, maar zorg er goed voor.'

'Mag het?'

'Lees het en over een week plaats ik het terug... Maar nu aan het werk. Neem jij de ordners. Ik breng de zegels aan.'

Terug op het bureau van de gerechtelijke diensten lezen Toets en Linders systematisch de documenten door. Na twee uur is de klus geklaard.

'Besluit?' vraagt Toets bij het dichtklappen van de laatste ordner.

'Ik zie geen verband met Feys z'n dood. Jij wel?'

'Even resumeren... Zijn financiële toestand lijkt normaal. Iedere maand zette hij een stevige duit van zijn salaris op een beleggingsrekening. Al jarenlang. Zo heeft hij nu een spaarpotje van bijna tachtigduizend euro. En de laatste tijd is er niets speciaals gebeurd, noch in positieve noch in negatieve zin.'

'Ik denk niet dat geld een belangrijke rol speelde in het leven van Feys.'

'En in zijn privécorrespondentie blijft hij zeer afstandelijk. Geen passionele brieven of zo. Alleen zakelijke mededelingen.'

'Maar toch enkele boze brieven aan het adres van zijn broer. En als ik lees wat hij aan vrienden schrijft... Wat betekent een formulering als "zeer genegen"?'

'De klassieke uitdrukking van een platonische relatie, zou ik denken.'

'Of de gemaskerde formulering van een diepe passie? Met een zekere Ivo lijkt het toch dik aan te zijn geweest; met afspraken in Bar Oscar Wilde en zo... Maar geen brief aan Wim Albers.'

'Ze zaten ook dagelijks recht tegenover elkaar.'

'In het adressenboek heb ik maar één Ivo gevonden... Ivo Mulders, Jordaenslaan 7, Walle.'

'Laat ik Snels verder uitzoeken.'

'Zou het toch niet verstandig zijn om Wim Albers op de rooster te leggen?'

Linders schrikt van zijn directe suggestie. Het is de eerste keer dat hij zijn chef advies geeft. Toets lijkt het niet gehoord te hebben...

'De map van de misdaad bevat hoofdzakelijk correspondentie met de redactie van Mystery Magazine.' En tegen zichzelf pratend gaat hij verder... 'Hij vermeldt onder andere dat hij aantekeningen maakt voor een misdaadroman. "Elektrocutie" is de werktitel. Waar zouden die te vinden zijn? Niet in de laden van zijn bureau.'

'Hij heeft er nog een bij Martins NV.'

'Waar hij soms schreef tijdens de middagpauze, heeft Verboven me verteld. Je zult wel gelijk hebben, Linders... en wat Wim Albers betreft...'

'Het was maar een suggestie, chef.'

'Maar terecht, Linders... Op jouw leeftijd zou ik ook als een aasgier op Wim Albers gevlogen zijn. Hij is immers omstreeks het tijdstip van de moord bij Roger Feys op bezoek geweest. Méér weten we voor het ogenblik niet... En toch voel ik er niet veel voor om de jongeman verder lastig te vallen. Het plaatje met hem als moordenaar klopt psychologisch niet. Ik weet heel goed, Linders, dat in gerechtelijke kringen psychologie geen waarde heeft. Enkel feiten tellen. En toch wordt psychologie aan alle universiteiten onderwezen. Men leert er hoe mensen zich normaliter gedragen in bepaalde omstandigheden. Men kan er een doctoraal proefschrift over misdadig gedrag maken, voor een rechtbank zou het geen enkele bewijskracht hebben. Maar zolang ik een onderzoek leid, hecht ik wel belang aan de regels van normaal menselijk gedrag.'

'Maar je kent Wim Albers amper. Twee dagen geleden wist je niet eens dat hij bestond.'

'Wim Albers heeft Roger Feys niet in koelen bloede en met voorbedachten rade gedood. Dat lijkt me totaal uitgesloten. Als hij toch zijn chef gedood had, zou dat enkel in een ogenblik van woede of agressie gebeurd kunnen zijn... Veronderstel eens dat Feys hem in zijn hartstocht tracht te overmeesteren. Albers raakt in paniek, ziet een mes op tafel liggen en steekt toe enzovoort.'

'Da's toch niet zo onwaarschijnlijk?'

'Nee, maar daarna klopt het niet meer... Hij vermoordt zogezegd zijn chef in een vlaag van verstandsverbijstering. Direct daarna komt hij tot zichzelf en begrijpt dat er maar twee mogelijkheden zijn om te ontsnappen... Eén. Dat niemand er weet van heeft dat hij op de flat van Feys is geweest. Dus zeker geen boeken meenemen, glas afwassen en ongezien het flatgebouw verlaten. Niets daarvan...'

'Hij kan gewoon in paniek gevlucht zijn. Met het verstand op nul.'

'Juist, Linders... Twee. Eenmaal terug in zijn eigen kamer krijgt het verstand hoe dan ook de bovenhand. Hij beseft dat hij verloren is. De getuigenis van de vrouw van de conciërge zal hem de das omdoen... Maar hij heeft een voorsprong in de tijd, bezit een auto, heeft geld ter beschikking of kan het uit de muur halen. In een wip is hij over de grens en 's morgens vroeg kan hij in Parijs opstijgen naar een land buiten Europa... Maar zoals hij zich nu gedraagt... Nee, dat is het gedrag van een naïeve onschuldige. Hij weet dat hij de moord niet gedaan heeft, en de rest is een zaak van de politie. Hij was zelfs verbaasd dat Verboven hem in de gegeven omstandigheden verzocht om enkele dagen thuis te blijven.'

'Nu je het zo zegt, chef... Maar misschien is Wim Albers een nog beter psycholoog dan jij er al een bent.'

Toets kan een glimlach niet onderdrukken. 'Bravo! Je laat je ook niet voor één gat vangen. Maar genoeg nu; we doen de boeken dicht en gaan naar huis.'

Op dat ogenblik rinkelt de telefoon.

'Jan Toets luistert...'

Met de lippen maakt hij Linders duidelijk dat onderzoeksrechter Aernout aan de andere kant van de lijn is en wuift tegelijk zijn adjunct de deur uit.

Met gefronst voorhoofd luistert Toets naar wat de onderzoeksrechter hem te zeggen heeft.

Miet weet dat ze haar Jan beter niet kan storen als hij verslagen doorneemt; en zeker niet als het om een moordzaak gaat. Vooral tijdens de eerste dagen van een onderzoek werkt hij als het ware in een zekere trance. Met vragen wil ze hem dan niet lastig vallen. Beter afwachten tot hij zelf behoefte heeft aan een luisterend oor.

Iets na negen is het zover. Hij komt armenzwaaiend uit zijn werkkamer.

'Schenk je me een port in, Miet?'

'Gedaan met werken?'

'Werken, ja... Maar we zijn nog maar weinig opgeschoten.'

Ze kent zijn manier van praten in het meervoud. Hij betrekt altijd zijn medewerkers in alles wat hij doet: wij, ons onderzoek, onze werkwijze...

'En hoe zit het met die jonge medewerker van Feys?'

'Zie jij hem ook al als dader?'

'Dat is toch normaal? Hij was ter plaatse...'

'Aernout eist dat ik dat spoor verder volg en dat ik moet ophouden met de bewoners van Residentie Leieboorden lastig te vallen.'

'Hij bemoeit zich anders niet met het onderzoek?'

'Dit keer wel. Hij belde op net toen ik op het punt stond te vertrekken. Zijn bevel om Albers verder aan de tand te voelen zag ik eerst als een uiting van ongeduld. Een onderzoeksrechter wil vlug succes boeken en zeker als de werking van het gerecht de bijzondere aandacht van de media krijgt. Maar nu ik het uitgebreide verslag van Linders gelezen heb...'

'Je denkt toch niet dat de onderzoeksrechter in de zaak Feys betrokken is?'

'Dat niet. Maar in de wandelgangen van de gerechtelijke diensten loopt het gerucht dat Aernout vele liefjes heeft en het zou wel eens kunnen dat de Leieboorden een van zijn rendez-vousplaatsen is...' En Toets licht de bevindingen van Linders verder toe.

'Zou ik niet gedacht hebben van Aernout. Zo'n *pisse-vinaigre*.'

'*De gustibus et coloribus non disputandum est*. En zeker niet in de liefde waarbij geld en status een belangrijke rol spelen.'

'Wat ga je nu doen, Jan?'

'Alle mogelijkheden verder onderzoeken tot zich een duidelijk spoor aftekent. Het is al te gek om te bevelen "daar mag je zoeken en daar niet". Het lijkt wel op het mopje van de man die iets in het duister verloren heeft, maar gaat zoeken waar het helder genoeg is om te zien.'

'Maar wat denk je nu zelf, Jan?'

'Nog te vroeg. Je weet het, Miet... Bij het begin van een onderzoek mag je niet denken. Gewoon feiten verzamelen en indrukken opdoen. Voldoende lang tot het denken vanzelf ontstaat. In het begin ben ik als een spons die passief opzuigt... tot opeens de reactie omslaat en ik actief feiten uitlok. En dan is denken belangrijk.'

'Als port hierbij een hulpmiddeltje kan zijn...'

'In jouw gezelschap dan.'

De dag van personeelsdirecteur Verboven

07 u.

'Zuid-Amerikaanse toestanden.' Met dat woord in het hoofd wordt Verboven wakker. Nee, dat de vakbond zijn medewerker zou vermoorden om de onderhandelingen vlotter in hun voordeel te laten verlopen gebeurt alleen in een bananenrepubliek. Maar de moord komt wel op een slecht moment... Nee, er is geen gepast moment voor een moord, verbetert hij zichzelf. Maar wat zullen de media ervan maken? 'Moord en Staking bij Martins NV'... Hij ziet de krantenkop al voor zich...

08.30 u.

'Mijnheer Hubert heeft gevraagd om hem op te bellen,' zegt zijn secretaresse zodra hij zijn kantoor binnenkomt.

'Wat is dat van die moord?' is de vraag waarmee de grote baas met de deur in huis valt.

Verboven vertelt hem wat hij weet... Mijnheer Martins luistert ongeduldig; onderbreekt herhaaldelijk het relaas met korte vragen... Waarom? Hoe? Wie...?

'Hij denkt dat ik van de politie ben,' mompelt Verboven als hij de hoorn neerlegt. De bekommernis van mijnheer Martins begrijpt hij wel. Onlangs kwam het bedrijf minder gunstig in de belangstelling door vermeend geknoei met de boekhouding... En nu dat! Verboven voelt aan dat hij het minder hard zal moeten spelen in de onderhandelingen met de vakbond... Een staking vermijden... En gisteren nog kon het niet hard genoeg... De waarde van het aandeel is nu het gouden kalf van de economie. *Shareholders value* heet dat in beurstaal.

09.30 u.

Bespreking met de secretarissen van de vakbond en met de vakbondsdelegatie.

Verboven luistert naar hun eisen. Bij de cao-besprekingen zes maanden geleden gingen diezelfde secretarissen ermee akkoord dat het ploeggeld niet verhoogd diende te worden. In wezen maakt het geen deel uit van het loon; het is een vergoeding als compensatie voor de materiële en fysische belasting van het werk in ploegen. Er was geen aanduiding dat deze elementen verzwaard waren of dat de kostprijs ervan was toegenomen.

Verboven herinnert zich nog hoe het sociaal overleg verliep dertig jaar geleden, toen hij als jonge sociaal assistent aan de slag ging in de personeelsdienst. De secretarissen van de vakbond waren aanwezig en niemand anders. Alles werd beslist in deze beperkte werkgroep en een akkoord met de secretarissen was een definitief akkoord. Zij spraken in naam van de arbeiders en van de bedienden en die aanvaardden als zodanig het leiderschap van hun vertegenwoordigers. Referenda achteraf om al of niet de goedkeuring van het bereikte akkoord te bekrachtigen, waren niet gangbaar... Ja, dat is nu eenmaal de tol van de veralgemeende democratie, bedenkt Verboven. En die gedachte is niet zomaar een conservatieve reflex. Het is een illusie te denken dat de mening van een meerderheid ipso facto de *juiste* of de *beste* is. Hadden onze voorouders als holbewoners het referendum gekend en iedere verandering onderwerp van een volksraadpleging gemaakt, dan leefden we nog steeds in holen. Iedere stap in een evolutieproces ontstaat als de mening van een minderheid. Het referendum is een hangslot op vooruitgang... Maar hij weet dat het zinloos is om deze gedachte te ontwikkelen tijdens de bespreking...

Verboven luistert voor de zoveelste keer naar de eisen van de vakbondssecretarissen die 'onder druk van hun achterban' het vorig bereikte akkoord over het ploeggeld opnieuw ter discussie moeten stellen...

Hij beklemtoont nog eens de moeilijke economische situatie waarin het bedrijf zich bevindt, de al te hoge loonkosten in vergelijking met de ons omringende landen enz., om te komen tot een finaal voorstel waarin hij voor 50% tegemoet komt aan de eisen van de bonden.

Bert Schepers klapt kwaad zijn blocnote dicht. De secretarissen verklaren dat ze dat 'krenterige' voorstel van de directie niet zullen verdedigen bij hun leden, maar als die het goedkeuren, dan zij het zo...

Jullie zijn dus alleen maar ambassadeurs en geen staatshoofden, bedenkt Verboven, maar hij is zo wijs die gedachte niet uit te spreken.

De datum van een volgende vergadering wordt vastgelegd.

11.30 u.

Onderhoud met hoofdinspecteur Jan Toets.

Hij vindt de politieman meteen sympathiek. Sportieve allure, open blik, stevige handdruk, krachtige stem en recht op het doel af. Hij zou mijn zoon kunnen zijn, denkt Verboven, die helaas geen kinderen heeft. Op het college zat er een zekere Germain Toets in zijn klas; misschien de vader van de inspecteur? Achteraf stelt hij vast dat hij niet eens de vraag heeft gesteld. De volgende keer dan maar... want er komt zeker een tweede gesprek. Nu hij over een paar zaken heeft nagedacht... Enkele uitspraken van de inspecteur hebben zijn geheugen aangescherpt... *De beste misdaad is de misdaad die niet als een misdaad wordt beschouwd...* Hij zal de dossiers van Feys eens inkijken...

14.30 u.

Overleg met de productieverantwoordelijken.

Welke bewarende maatregelen te nemen voor het geval dat het tot een staking komt?

Verboven legt uit welke de juridische mogelijkheden zijn. In de praktijk zijn die nagenoeg nihil. Het stakingsrecht is een heilige koe in het sociale overleg (zeg maar: in de strijd van de arbeid tegen het kapitaal). En het bedrijf dat in kort geding naar de rechter stapt, verklaart daardoor als het ware de oorlog aan de vakbonden. Beter de weg van het overleg bewandelen.

In alle afdelingen is de bezetting boven de 100% en de voorraden zijn minimaal. De markt trekt duidelijk aan. Vermoedelijk het begin van een periode van hoogconjunctuur. Een staking nu kan het bedrijf zware commerciële schade toebrengen. Is altijd maar toegeven aan de eisen van de vakbonden dan de enige uitweg? De competitieve positie van België is al zo slecht.

De werkgevers spreken sterke taal zolang het bij algemeenheden blijft, maar als de bonden aan de deur van het eigen bedrijf aankloppen, dan is het hemdje nader dan het rokje. De collega is vaak een lastige concurrent... Die bombastische werkgeverstaal kennen de bonden maar al te goed. Daarom halen zij hun slag thuis bij het afsluiten van cao's op bedrijfsvlak. De nationale sociale akkoorden zijn vaak niet meer dan lege dozen omdat alle onderhandelaars er vooral op gericht zijn de eisen van de tegenpartij te neutraliseren.

'Als wij als belangrijkste bedrijf in de sector toegeven op dat punt, dan is het morgen de beurt aan alle collega's,' argumenteert Verboven.

Zijn woorden maken weinig indruk. De productie-ingenieurs hebben liefst zo weinig mogelijk zorgen aan het hoofd. Machines zijn gemakkelijker te bedienen dan mensen. Hun ultieme droom is een fabriek zonder mensen.

Verboven ervaart eens te meer dat hij alleen staat als het ogenblik van de keuze er is: toegeven aan de looneis of staking.

Achteraf zal blijken dat hij hoe dan ook de verkeerde beslissing heeft genomen.

17.00 u.

Een onderhoud waar hij tegenop ziet. Al een jaar sleept 'de zaak Rik Bauwens' aan. De partijen blijven het oneens over het bedrag van de uitkering ten gevolge van het dodelijke arbeidsongeval. Betty Craem, de weduwe van de verongelukte medewerker, heeft een advocaat in de arm genomen en die betwist het voorstel van de verzekering. Verboven trok zich aanvankelijk de zaak niet aan; het was een dispuut tussen de verzekeringsmaatschappij en de nabestaanden van het slachtoffer. Toen de weduwe zich al te veeleisend opstelde heeft hij Feys gevraagd om als bemiddelaar op te treden.

'Een kreng van een vrouw,' liet Roger zich eens ontvallen. Verboven keek op van de uitspraak omdat Feys zich meestal zeer gereserveerd uitdrukte. 'Omdat ze knap is, denkt ze dat de wereld aan haar voeten ligt.'

Onlangs liet Feys hem weten dat een vergelijk nakend was. Hij hoopte in een laatste gesprek met de advocaat van mevrouw Craem de zaak te kunnen afronden. Maar nu Roger er niet meer is, moet hij de klus alleen klaren. Veel tijd om het dossier in te kijken heeft hij niet gehad.

Hij is verwonderd als zijn secretaresse niet alleen meester Vercruysse, maar ook mevrouw Craem aankondigt. Ongewoon, denkt hij eerst verstoord, maar zijn nieuwsgierigheid haalt toch de bovenhand.

De advocaat die binnenkomt lijkt zo uit een Hollywoodfilm te zijn gestapt. Lang en slank, lichtjes gebruind, vlotte allure, onberispelijke haarsnit, witte tanden, donkere ogen, rechte neus, wilskrachtige kin, modieus donker pak, lederen haute couture-tas onder de arm... De vrouw die in zijn spoor volgt hoeft er niet voor onder te doen. Hyperslank, catwalk, aanspannende jurk, lange benen, extra hoge hakken, zoet parfum, losse krullen, schitterende ogen, holle wangen, dik aangezette lippen... Maar een tikkeltje te ordinair naar de smaak van Verboven. Hij meent zich te herinneren dat mevrouw Craem van beroep schoonheidsspecialiste is.

Door gerichte vragen te stellen verwerft Verboven in een mum van tijd de nodige kennis van het dossier. Meester Vercruysse kent zijn job en zijn wereld; hij heeft begrip voor de situatie die ontstaan is door het tragisch overlijden van de heer Feys.

Verboven begrijpt dat de kloof tussen de eis van de weduwe en het laatste voorstel van de verzekering nog zowat vijfentwintigduizend euro is. Moet hij zich daarover druk maken? Hij wil af van die zaak. Heeft al genoeg problemen aan zijn hoofd...

'Meester Vercruysse, de firma is bereid het verschil bij te passen.' Knikje in de ene richting. Knikje in de andere richting. 'Uw echtgenoot, mevrouw Craem, was een bekwaam en trouw medewerker. Hij was een voorbeeld...' Verboven is zich opeens bewust dat hij zinnen herhaalt die hij bij de uitvaart van Rik Bauwens heeft uitgesproken. Ook het beeld komt terug... De kerk van Andleie was te klein. Mensen stonden zelfs in de gangen. Er waren niet genoeg prentjes. Het elektrocutieongeval had heel wat beroering verwekt. Niemand begreep hoe Rik Bauwens zo'n fout had kunnen maken. De verkeerde cabine afschakelen... tot daar aan toe. Maar je moet toch altijd vooraf meten of er stroom op de leiding zit... Onbegrijpelijk. Maar het was nu eenmaal zo. De meeste ongevallen zijn te wijten aan een menselijke fout. Mevrouw Craem gedroeg zich kranig. Zwart stond haar goed...

'Zie je wel, Betty, dat het bedrijf hem nog niet vergeten is...'
Meester Vercruysse legt teder zijn hand op de arm van mevrouw Craem.

Zodra Verboven de documenten heeft ondertekend, haasten ze zich naar buiten; weliswaar met allure. Ze doen hem denken aan een paar dat niet snel genoeg in bed kan liggen; indruk die hij vaak heeft als hij naar zo'n Amerikaanse soap kijkt... Alle dames en heren zijn op elkaar verliefd.

20.00 u.

Vergadering van de Industriële Club.

Verboven heeft toegezegd in het panel te zitten dat het met de aanwezigen zal hebben over 'De Kansarmen en de Arbeidsmarkt'. Hoe komt het dat zelfs in tijden van hoogconjunctuur en op een verhitte arbeidsmarkt nog altijd 5 à 7 % van de beroepsbevolking werkloos blijft? Wie zijn die mensen? Waarom komen ze niet 'aan de bak'? Welke maatregelen kunnen genomen worden om de kansarme beroepsbevolking te integreren in het arbeidsproces?

Verboven heeft het onderzoeksrapport daaromtrent grondig gelezen en voelt zich goed voorbereid op het gesprek. Hij heeft enkele leuke ideetjes in petto.

Het drankje vooraf laat hij links liggen. Hij regelt het zo dat hij stipt op tijd is om zijn plaats in het panel in te nemen. Hij wil vooral indiscrete vragen uit de weg gaan. De kranten hebben al genoeg stof doen opwaaien... Zoals ze schreven over de moord leek het of Martins NV een broedplaats van misdaad was.

De formule van het panelgesprek levert zelden bruikbare resultaten op. Wie het woord voert doet dit vooral om te laten horen dat hij kennis van zaken heeft en niet om een positieve bijdrage te leveren. Bovendien stuurde de Vlaamse minister van Werkgelegenheid, die nochtans daags voordien beloofd had aanwezig te zijn, zijn kat (in casu een kabinetsmedewerker).

Verboven zou het liefst meteen na de officiële vergadering verdwenen zijn, maar dat zou weleens verkeerd uitgelegd kunnen worden. Dan maar gewoontegetrouw het pintje aan de bar.... Zoals verwacht wordt hij met vragen en commentaar overstelpt...

'Is het waar dat het slachtoffer geld verduisterd heeft?'

'De hele personeelsdienst is een homofiel gedoe, beweert men.'

'Stond Roger Feys de vakbonden niet in de weg?'

'Is het waar dat hij al bedreigingen had ontvangen?'

Verboven geeft rustig uitleg en beroept zich hierbij op al of niet vermeende uitspraken van inspecteur Toets uit het gesprek van vanmiddag...

'Vermoedelijk is het een passioneel drama... Nee, ik durf zelfs niet te beweren dat Roger Feys homofiel was. Ik heb er noch op het bedrijf, noch erbuiten iets van gemerkt. We moeten oppassen dat we mensen niet al te vlug in dat hokje stoppen... Met de sociale problemen die er zijn heeft de moord niets uit te staan. De emoties binnen het bedrijf blijven onder controle. Er wordt bij Martins NV aan overleg gedaan en niet aan bendevorming...'

Hij is blij als hij een gelegenheid vindt om de bar verlaten. Zelden heeft hij zich zo moe gevoeld.

De dagen van Nelly

Op dag X stoeien onderzoeksrechter Fred Aernout en secretaresse Nelly met elkaar in flat 1A van Residentie Leieboorden, terwijl op datzelfde ogenblik Roger Feys wordt vermoord.

Dag X + 1.

'Nelly...? Met Fred. Ben je alleen?'

'Voor het ogenblik wel. Snels en Linders zijn op buitendienst. Toets is naar de Rijkswacht toe. Eenheidspolitie, nietwaar...'

'Luister, Nelly, het is ernstig. Ik ben op het ogenblik in Residentie Leieboorden.'

'Met wie?'

'Met Deforge... Ja, je hoort goed. Gisteren is hier een moord gebeurd...'

'Toch niet in de flat waar wij...?'

'Nee, nee, het heeft niets met ons beiden te maken en zo wil ik het houden; daarom bel ik je.'

'Oké, zeg maar wat ik kan doen.'

'De moord is op flat 3A gebeurd. Ik zal Toets belasten met het onderzoek. Uiteraard zullen de bewoners van de Leieboorden ondervraagd worden. We moeten vermijden dat...'

'Dat heel Walle verneemt dat onderzoeksrechter Aernout op datzelfde ogenblik...'

'Wees redelijk, Nelly... Weet de conciërge dat wij elkaar daar ontmoeten?'

'Officieel weet hij of zij dat een zekere Nelly de flat reserveert. Ik betaal cash, dus kennen ze mijn gezicht. In hoever ze gluren om erachter te komen wie mijn partner is, weet ik niet. Maar de kans dat ze uit de school klappen is klein, want de status van flat 1A is geen zuivere koffie. Zoveel heb ik al begrepen.'

'Geef in ieder geval duidelijk te verstaan dat onderzoek in Residentie Leieboorden niets zal opleveren.'

'Hoe weet je dat zo zeker, Fred? En hoe moet ik dat doen?'

Drie seconden stilte.

'Oké, laten we zo afspreken... Je houdt me voortdurend op de hoogte van het verloop van het onderzoek, zodat ik kan bijsturen. Tot zolang is het beter dat we elkaar niet ontmoeten... Nee, nee, ik denk dat we de dader vlug te pakken zullen krijgen. We bellen elkaar als de kust veilig is. Akkoord?'

Als Nelly de hoorn neerlegt, heeft ze een naar gevoel. De rest van de dag poogt ze het te plaatsen... Kort voor ze inslaapt meent ze de verklaring te hebben gevonden... *Wie met hypocrisie omgaat wordt erdoor besmet.*

Dag X + 2.

'Nelly...? Met Fred. Ben je alleen?'

'Na de briefing van Toets zijn ze allen de deur uitgegaan, op onderzoek.'

'Goed. Luister... Ik heb Toets geadviseerd om het onderzoek toe te spitsen op hoofdverdachte Albers. Dat Linders ook een rondje maakt in de Leieboorden kan ik niet beletten. Maar hij is jong en onervaren. Veel zal hij niet te weten komen.'

'Een pientere kerel, hoor.'

'Omdat hij jou het hof maakt...? Sorry, ik wilde niet kwetsend zijn... Ik neem aan dat ze via jou hun rapporten doormailen naar Toets... Hou me op de hoogte zodra je denkt dat het nodig is.'

'Je bent zo ernstig, Fred, zo heel anders dan...'

'Als ik in verband word gebracht met de moord, dan zullen de media niet meer te stuiten zijn. Ik word uitgekleed, en...'

'Ik dacht dat je dat wel leuk zou vinden.'

'Het is ernstig, Nelly, begrijp het toch.'

'Ik begrijp dat ik er nu te veel ben.' Ze schrikt van haar woorden. Maar ze weet dat ze moet doorbijten. Gisteravond heeft ze het voor zichzelf uitgemaakt: nu zal ik weten of Fred *echt* van me houdt zoals hij beweert. Desnoods tegen alles en iedereen in. Liefde is absoluut.

'Fred...? Met Nelly. Past het?'

'Ik ben alleen.'

'Ik heb zopas het rapport van Linders ontvangen. Hij heeft ontdekt wat er in 1A gebeurt.'

'Met namen erbij?'

'Zover is het nog niet; ik heb het hem afgeraden verder te zoeken.'

'Hoezo?'

'Een beetje gecharmeerd.'

'Weet je al iets meer over die Wim Albers?'

'Toets denkt niet dat hij de dader is.'

'Denken, denken... Alleen feiten tellen. Zal ik hem nog eens goed zeggen.'

'Morgen op het rapport?'

'Zul je wel merken... Ik krijg een buitenlijn. Tot later, Nelly.'

Als Fred in de knel zit, mag zelfs een telefoonkus niet meer, bedenkt ze bitter.

'Met onderzoeksrechter Aernout...? U spreekt met Jef Dupon, conciërge van Residentie Leieboorden. Het is in verband met die moord, mijnheer.'

'Hebt u een aanwijzing?'

'Niet meteen, maar... De jonge inspecteur is erachter gekomen waarvoor flat 1A dient en hij zou wel eens namen kunnen vragen.'

'Kent u die?'

'Officieel niet. De klant betaalt op voorhand en daarmee is de zaak geregeld. Maar niemand is onzichtbaar, mijnheer Aernout.'

'Als u geen bewijs van identificatie hebt, dan stelt een naamlijst niets voor. Het is woord tegen woord.'

'Als de inspecteur toch namen vraagt, mag ik dan die van u opgeven?'

'Godverdomme!'

'Wat zei u, mijnheer Aernout?'

'U zegt gewoon dat de handel en wandel op 1A discreet gebeurt en dat u geen namen kent.'

'Zou het niet beter zijn dat ik niet hoef te liegen, mijnheer Aernout?'

'Ik zal kijken wat ik kan doen, mijnheer Dupon.'

'Dank u, mijnheer de onderzoeksrechter.'

'Nelly...? Met Fred. De conciërge heeft me herkend.'

'En dan?'

'Besef je dan niet...?'

'Liefde die geen daglicht verdraagt, is geen liefde.'

'Maar Nelly toch. Als die zaak opgelost is dan...'

'Is ook onze liefde opgelost... Verleden deelwoord van oplossen: verdwijnen in een groter geheel. Het geheel van de onverschilligheid.'

Tranen vullen haar ogen; ze legt snikkend de hoorn neer.

De derde dag

Het is na halftien als de ochtendbespreking met procureur Deforge, onderzoeksrechter Aernout en hoofdinspecteur Toets afgelopen is.

'Daar komt hij,' kondigt Snels aan, die voor de zoveelste keer de gang inkijkt. 'En het ziet er niet goed uit.' Bij die woorden zwaait hij hoekig met de armen. De medewerkers weten wat het betekent: als Toets boos of gekrenkt is, wordt zijn gang minder soepel en bewegen zijn armen als die van een ledenpop.

'Goedemorgen.' Ook zijn stem klinkt dan iets scherper.

'Kopje koffie?' vraagt Nelly poeslief.

'Heb ik al gehad.' Hij legt het dossier met een klap op het bureau. 'Vandaag moet er een doorbraak komen in de zaak Roger Feys.' Hij spreekt evenzeer tot zichzelf als tot zijn medewerkers.

'Zeg het maar, chef, wat we kunnen doen.'

'Oké, ik zal kort en bondig zijn... Voorlopig stoppen we met verder onderzoek in Residentie Leieboorden. De aanwijzingen die we hebben wegen te licht om een van de bewoners te verdenken.'

'En mijnheer Daems?' vraagt Linders impulsief. 'Roger Feys was een concurrent bij mevrouw Jansen.'

'Je hebt zelf vastgesteld dat mevrouw Jansen haar overbuur niet pruimde. De dood van Feys zou daar niets aan veranderen. Dat wist Daems ook.'

'En het conciërge-echtpaar? Of bezoekers van de liefdesflat?' dringt Linders aan.

'Voorlopig parkeren tot we klaar zijn met Wim Albers. Tegen vanavond moeten we met zekerheid weten of hij de dader is of dat hij onschuldig is.'

'Dat vind ik ook,' zegt Nelly, terwijl ze ongevraagd een kop koffie serveert. Ze weet dat ze met die woorden haar bevoegdheid te buiten gaat; maar zo gaat het nu eenmaal als je zoals Toets een geest van openheid in de dienst voorstaat.

'Wat doen we dan concreet vandaag?' vraagt Snels.

'Jij gaat verder waarmee je bezig was. Je zoekt uit waar de uitbater van de Oscar Wilde naartoe gereden is en tracht zoveel mogelijk gegevens te verzamelen over de vriendenkring van Roger Feys.'

'En ik?'

'Jij, Linders, doorzoekt grondig het gezamenlijk kantoor van Feys en Albers bij Martins NV. Ik tracht ondertussen Albers zelf te pakken te krijgen en zal hem op de rooster leggen. Ik blijf denken dat hij on-schuldig is, maar dat hij méér weet dan hij totnogtoe heeft losgela-ten. Misschien is een tweede gesprek met Verboven ook nodig... of met andere medewerkers van het bedrijf. Het zou wel eens kunnen zijn dat de sleutel van de misdaad daar te vinden is, eerder dan in de rela-tionele sfeer van het slachtoffer.'

'Of in beide tegelijk,' oppert Linders.

'Hoezo?' vraagt Nelly.

'Wel, de conciërge werkt halftijds bij Martins... Bezoekers van flat 1A kunnen door Feys gezien zijn... Of door de conciërge die het aan Feys doorverteld heeft... Of...'

'Je hebt te veel fantasie.'

Linders zwijgt verward. De woorden van Nelly klonken onvriende-lijk.

'Ik vervoeg je later in het bureau van Feys en Albers,' besluit Toets. 'En zoals gewoonlijk rapportering via Nelly, tenzij anders noodzake-lijk. Nog vragen...?'

Bij het rothumeur van hun chef lijkt zwijgen het verstandigste.

Een halfuur later is iedereen op onderzoek vertrokken.

Op het studententehuis waar Wim Albers verblijft, vangt Toets bot.

Na enkele keren gedrukt te hebben op de bel naast het naam-plaatje, zoekt hij zoals aangeduid in de hal zijn heil bij de 'huis-bewaarder'.

Hij daagt meteen op: een corpulente veertiger die de inspecteur alle uitleg geeft...

'In principe zijn hier alleen kamers voor studenten, maar Wim Albers is de neef van een hoogleraar en daardoor... (haalt de schou-ders gelaten op). Vijftien luxekamers met kitchenette en toilet; per vijf een badkamer...'

Toets onderbreekt de spraakwaterval. 'Weet u soms waar ik Wim Albers kan vinden?'

'Heeft hij iets misdaan?'

'U weet toch dat hij de adjunct was van Roger Feys?'

'De man die vermoord is...?' De huisbewaarder fluit vulgair. 'Eerlijk gezegd, inspecteur, dat wist ik niet. Dat hij bij Martins NV werkte, dat wel... Albers is een gesloten jongen; heeft geen contact met de studenten. Eet in zijn eentje op de kamer...'

'Weet u waar ik hem kan vinden?' herhaalt Toets.

De man krabt zich in de haren. 'Ik vrees dat er iets aan de hand is, inspecteur.'

'Hoezo? Ik ben hier gisteren nog geweest en heb met Albers gesproken.'

'Precies, inspecteur. Ik heb u het huis uit zien gaan en nog geen uur later botste ik in de hal op Albers. Hij had een koffer bij. Ga je weg, vroeg ik. Tot en met het weekend, zei hij. Naar huis? Hij knikte en vertrok... Gisteravond kreeg ik zijn moeder aan de lijn die me zei dat haar zoon op zijn gsm niet te bereiken was... En of ik hem wilde vragen om terug te bellen... Ik heb me dom gehouden, maar heb wel een briefje op Albers' kamerdeur geplakt. Vanmorgen hing het er nog.'

'Hij is hier vannacht niet geweest?'

'Da's zijn goed recht. Maar we kunnen een kijkje nemen. Ik heb een passe-partout.'

De kamer is netjes in orde; het bed opgemaakt.

'Gevlucht?' vraagt de huisbewaarder. Op dat ogenblik rinkelt de telefoon die hij op zak heeft. 'Sorry ...' Hij luistert met gefronst voorhoofd. 'Zijn moeder,' fluistert hij Toets toe.

'Geef maar.' En met een handbeweging stuurt hij de huisbewaarder weg.

'Mevrouw Albers, u spreekt met inspecteur Toets van de Gerechtelijke Politie...'

Ze onderbreekt hem meteen. 'Is er iets met Wim? Sinds de moord op zijn baas heb ik geen minuut rust meer.'

'Hij heeft het u verteld?'

'Zodra hij het wist. Vreselijk dat te moeten zien... Ik begrijp dat mijnheer Verboven hem enkele dagen verlof gegeven heeft om te bekomen.'

Toets is opgelucht. Hij kan alsnog een beetje liegen om bestwil. 'Luister, mevrouw...' Hij legt haar uit dat haar zoon een belangrijke getuige is in de moordzaak en dat hij hem als zodanig nog enkele vragen wilde stellen over de handel en wandel van zijn chef. Hij heeft wel geen afspraak gemaakt, wat dom is van hem, want je mag toch niet verwachten dat een jongeman zomaar de hele dag op zijn kamer zal zitten.

'Maar hij heeft nog niet teruggebeld.'

'Misschien is hij op weg naar huis, mevrouw. Mag ik u dan ook dringend verzoeken om mij op te bellen zodra hij er is. Ik geef u mijn nummer...'

Toets hoopt nu maar dat hij haar niet nog meer ongerust heeft gemaakt. Een moeder luistert méér naar het gevoel dan naar de rede.

In de hal geeft hij bijkomende instructies aan de huisbewaarder... 'Zo dadelijk stuur ik iemand die de deur van Albers' flat zal verzegelen. U mag er dus ook niet meer in. Mocht Albers komen opdagen dan moet hij mij terstond contacteren.'

Vanuit de auto belt hij Martins NV op.

'Met Toets, mijnheer Verboven... Goed. Dank u. Ik ben op zoek naar Wim Albers. U weet niet waar hij is...? Kan ik met u nog een gesprek hebben...? Liefst zo vlug mogelijk... Nog een vergadering met de vakbonden... Samen lunchen? Goed voorstel. Tot straks.'

Om de tijd tot aan de lunch te overbruggen, besluit Toets nog even te snuffelen in de flat van Feys. Maar hij moet het onopgemerkt doen, want hij zou niet graag hebben dat het lijkt of hij het bevel van Aernout negeert. De onderzoeksrechter was tegen zijn gewoonte in zeer formeel: de bewoners van Residentie Leieboorden laat je met rust.

Het lukt hem zonder gezien te worden in de flat van Feys te komen... Hij haalt opgelucht adem. Nu kan hij in alle rust de boekenkast van Feys eens bekijken...

Is het toeval dat zijn oog valt op *Maigret se trompe*? Een dun deeltje in een lange rij Simenon-boeken... De geniale commissaris kon zich dus ook vergissen. Zoals dat nu met hem het geval is...? Nee, hij gelooft nog steeds in de onschuld van Wim Albers... Maar dan moet hij wel de ware dader zien te vinden. En vlug... Feys was klaarblijkelijk een fan van Maigret... Zou hij de hele collectie hebben? Een kenmerk van de ware verzamelaar is dat hij slechts rust heeft als hij alles bezit. En in verschillende talen en uitgaven ook nog... Toets pikt er *De Memoires van Maigret* uit en zoekt de passus op waarin Simenon bij monde van Maigret een beeld schetst van de politieman-burger; heeft hij nog geciteerd in zijn scriptie van criminologie...

In kleding, opvoeding, woning en wijze van leven, onderscheid ik me in niets van andere middenstanders; heb ik dezelfde dromen van een klein huisje ergens buiten de stad. Het grootste deel van mijn tijd breng ik nochtans door in contact met de zelfkant van de wereld, met het afval, het uitschot, met de vijand van de geordende samenleving. Dat heeft me vaak getroffen. Het is een vreemde situatie, waardoor ik me soms inderdaad bedrukt voel. Ik leef in een burgerlijke woning, waar aangename geuren van gestoofde gerechten mij wachten, waar alles eenvoudig en netjes is, proper en gerieflijk...

Is vijftig jaar later deze typering nog altijd geldig? In hoofdzaak wel, denkt Toets. En de succesformule van Simenon doet het nog steeds. De auteur is een meester in de beschrijving van die dubbele wereld. Enerzijds zijn daar Maigret en zijn vrouw als een ideaal burgerlijk echtpaar, anderzijds is er de morbide wereld van zonde en misdaad. Met die primaire zwart-wittekening kan de burger zich gemakkelijk identificeren... Even gemakkelijk als Maigret zelf... De commissaris stelt zich vaak in de plaats van zijn slachtoffers, hij begrijpt ze en duikt met hen in hun onderwereld, maar hij komt er wel ongeschonden uit te voorschijn... Het religieus-burgerlijk aspect van de detectiveroman, noemt Toets het. Maigret neemt de rol op zich van 'de Man die in alles aan de mens gelijk is, behalve in de zonde'. Maigret is tevens de Alvader-figuur. Zijn vrouw heeft na een miskraam de hoop moeten opgeven ooit nog een kind te krijgen en daardoor kan Maigret bij uitstek de rustgevende, gezaghebbende vaderfiguur worden, niet enkel voor zijn jongere medewerkers, maar voor allen die met hem in aanraking komen, inclusief de lezer... Van Simenon naar Raymond Chandler, een andere reus van de misdaadroman. Ook van hem heeft Feys een hele collectie verzameld... In tegenstelling tot politieman Maigret is Philip Marlowe, het sleutelpersonage in de romans en verhalen van Chandler, een particuliere detective; een man wiens hulp kan worden ingeroepen om desnoods met illegale middelen de misdaad te bestrijden. De speurder van de zogenoemde *hardboiled school* waarvan Chandler een exponent is, is een *lone wolf*; een antiheld die ondanks zichzelf toch heldhaftig moet zijn, omdat zijn integriteit de beslissende factor in zijn leven is, die hem méér waard is dan geld en goed, zelfs méér dan liefde en leven. Hij kent geen banden, ook geen emotionele, omdat hij bij de dag leeft. Als personage vond hij zijn zuiverste en beminnelijkste belichaming in Philip Marlowe. Toets herinnert zich dat Chandler in zijn essay 'The Simple Art of Murder' ongeveer het volgende zei over zijn speurder ...*als er voldoende waren zoals hij, dan geloof ik dat de wereld een heel veilige plaats zou zijn om in te leven en toch niet vervelend om het de moeite waard te maken erin te leven...* Maigret of Marlowe? Op wie lijk ik het meest, vraagt Toets zich af, maar hij glimlacht bij deze valse vraagstelling. Romanpersonages worden niet getekend naar de realiteit. Ik ben Toets, en later wil ik zelf mijn memoires publiceren. Zo hoort het.

Verboven begroet hem hartelijk.

'Hoe was het met de vakbonden?' vraagt Toets beleefdheidshalve.

'Lastig. Ze willen een akkoord vóór zaterdag; dag van de begrafenis van Feys. Anders blijven ze daar afwezig. Alsof het ene iets met het andere te maken heeft. Maar alle middelen zijn goed. Ze weten dat de pers erover zal schrijven. De vakbondsvoorman Bert Schepers is geen gemakkelijke jongen. Iemand die over lijken gaat.'

'Nogal toepasselijk in de huidige situatie.'

'Zo letterlijk bedoelde ik het niet... En hoe loopt het onderzoek?'

Ze zijn aan het voorgerecht toe: asperges op zijn Vlaams.

'Ik maak me ongerust over Wim Albers. Niemand weet waar hij is... Bij ons eerste gesprek ben ik te oppervlakkig geweest. Dat besef ik nu.'

'Ik kan me niet indenken dat Albers...'

'Waar was u de avond van de moord?'

Een stukje asperge blijft steken tussen de lippen van Verboven.

'U begrijpt toch dat ik die vraag moet stellen?'

Verboven knikt, maar is nog niet tot spreken in staat.

'U moet begrijpen, mijnheer Verboven, dat ik ook moet onderzoeken wat onwaarschijnlijk lijkt.'

Het eindje asperge wordt uiteindelijk ingeslikt.

'Waarom ik... inspecteur?'

'Feys kan de minnaar van uw vrouw geweest zijn.'

'Ik was die avond thuis, mijnheer Toets. Bij mijn vrouw... en we hebben... nee, dat was niet die avond...'

'Dank u, mijnheer Verboven. Mag ik na dit moeilijk moment klinken op uw gezondheid en op die van uw vrouw?'

De goudgele meursault trilt even in de tegen elkaar tikkende glazen.

'En nu terug naar Wim Albers... Wat heeft hij gedaan toen hij terug was van de Leieboorden en u vertelde wat hij daar gezien had? Denk goed na; het minste feit kan belangrijk zijn.'

'Hij was nogal overstuur en uiteraard wilde iedereen hem vragen stellen. Daarom vond ik het beter dat hij voor de rest van de week thuisbleef.'

'Dat is me duidelijk, maar is hij toen meteen vertrokken? Heeft hij papieren of wat dan ook meegenomen?'

Verboven fronst de wenkbrauwen...

'Tracht het u opnieuw voor te stellen,' dringt Toets aan.

'Ik heb hem gesproken in mijn kantoor. Daarna is hij naar zijn eigen bureau gegaan, is daar een tiental minuten gebleven en daarna teruggekomen om te zeggen dat hij vertrok. Hij had een boekentas bij zich en zijn laptop... "Zo kan ik thuis nog wat werken," zei hij, "en als je me nodig hebt, geef een seintje".'

'Hij heeft dus alle gelegenheid gehad om wat dan ook mee te nemen? Ook documenten uit het archief van Feys, bijvoorbeeld...?'

'Inderdaad. Hoewel ik niet inzie dat...'

'Linders is nu bezig alles te onderzoeken maar het zou wel eens kunnen dat de interessantste papieren al verdwenen zijn.'

'U spreekt in raadsels, inspecteur.'

'Zolang de moord een raadsel is, is alles een raadsel... Hebt u zijn kantoor gesloten nadat Albers vertrokken was?'

'Niet meteen, maar wel 's avonds voor ik naar huis ging.'

'Albers heeft ook een sleutel, zei u. Kan hij na werktijd binnenkomen?'

'Jazeker. Hij heeft zoals alle kaderleden die in dit gebouw werken een identificatienummer dat hij moet intoetsen bij de ingang. Daarna kan hij met de sleutel van de buitendeur naar binnen en vervolgens in zijn eigen kantoor.'

'U kunt het nakijken?'

'Nu meteen?'

'Liefst.'

Verboven verlaat de kamer waarin ze met z'n tweeën lunchen. Lang blijft hij niet weg.

'Albers is woensdag om 20.10 uur binnen geweest.'

'Woensdag...,' herhaalt Toets voor zichzelf. 'Maandagavond is de moord gebeurd. Dinsdagmorgen werd hij ontdekt... Woensdagmorgen heb ik met Albers gepraat... We zijn nu donderdag...'

'Vermoedt u iets, inspecteur?'

'Ik vrees vooral dat Albers een stommiteit begaat.'

'Dat hij gevlucht is?'

'Misschien, maar daarom niet voor de politie. Ik ben benieuwd of Linders iets interessants zal vinden... Maar vertel nu eens over uw job en over die van Feys en Albers. Wat doet een afdeling Human Resources eigenlijk? Een bedrijf is voor mij een gesloten boek. Eenmaal heb ik te doen gehad met een moord in het researchlab van een grote onderneming. Maar eigenlijk was het een passioneel drama en het lab was enkel de plaats van executie...'

De rest van de lunch wisselen ze ervaringen uit over hun respectieve beroepen. Uiteindelijk gaan ze akkoord dat ze beiden te maken hebben met het menselijk tekort.

'Iets gevonden?'

Linders die met het hoofd in een kast zit, kijkt gestoord op.

'Dat is het laatste dossier, chef. Tot nu toe alleen maar gevonden wat niet te vinden is.'

'Nu spreek je in raadsels.'

'Kijk... Hier.'

Linders trekt een lade met hangmappen open. 'Ze zijn genummerd, zie je... Nummer 1 en nummer 17 ontbreken.'

'Misschien waren ze niet meer actueel. Maar de secretaresse moet dat wel weten.'

De pientere jongedame die het secretariaat doet voor Verboven en zijn medewerkers weet inderdaad hoe het archief van Feys in elkaar steekt. Ze hoeft maar op de lijst te kijken... 'Nummer 1 is de rubriek "Privé" en nummer 17 is "Arbeidsongeval Rik Bauwens".'

'Albers kent het archief van Feys even goed?'

'Jazeker... In de rubriek "Privé" klasseerde mijnheer Feys alles wat met zijn hobby van misdaadliteratuur te maken had. Hij schreef vaak in de middagpauze.'

'We zijn te laat, Linders.' En Toets legt uit wat hij over Albers te weten is gekomen.

'Wat nu, chef?'

'Tijd brengt raad.'

Om tien uur 's avonds trekt Toets een streep onder de aantekeningen die hij heeft gemaakt...

Rapport van Snels...

De uitbater van Bar Oscar Wilde (Boris) is na het eerste bezoek meteen Ivo (ex-vriend van Feys) gaan opzoeken. Waarom? Om hem te waarschuwen? Om erachter te komen of Ivo de dader was? Om hem eventueel te helpen aan een alibi?

Als het motief (homofiele) passie is... het meest waarschijnlijke spoor.

Bewoners Leieboorden: geen nieuwe gegevens. Bibliotheek Feys onderzocht.

Het toverbriefje dat ergens in een boek zit en opheldering zou kunnen geven niet gevonden.

Verdwijning van Wim Albers... Omdat hij bepaalde zaken weet? Zich bedreigd voelt? Zelf de zaak onderzoekt? Twee feiten komen steeds terug... Een: Feys werkte aan een misdaadroman... Twee: er is een jaar geleden een dodelijk arbeidsongeval gebeurd... Is er een verband tussen beide?

Alle andere vermoedens en mogelijkheden wegen licht.

'Loopt het niet?' vraagt Miet.

Terwijl zij de boekhouding van haar antiekzaak bijwerkte, heeft ze stiekem haar man geobserveerd. Alleen al aan zijn manier van schrijven kan ze zijn humeur raden... Zoals hij die streep onder zijn notities trekt; alsof hij iemand met een dolk bewerkt.

'Het loopt in het honderd.' Hij glimlacht. Het knappe en ernstige gezicht van Miet brengt hem meteen in de wereld van de rust en de gezelligheid. Miet in de rol van madame Maigret, denkt hij...

'Hoofdverdachte Wim Albers is spoorloos verdwenen. Aernout zal woedend zijn. Hij is ervan overtuigd dat hij de dader is en dat ik te nonchalant te werk ben gegaan.'

'Bewijst zijn vlucht niet dat Aernout gelijk heeft?'

'Alles wijst erop en toch...'

'En toch geloof je het niet.'

'Omdat het te vanzelfsprekend is; maar vooral omdat ik met die jongen gepraat heb en dat ik me niet kan voorstellen dat hij een moordenaar is.'

'Je gelooft nog altijd dat je een moordenaar kunt herkennen...?'

'Niet zomaar op straat onder de voorbijgangers... Maar bij een ondervraging onder vier ogen en als de omstandigheden van de moord bekend zijn... Ja, dan durf ik er mijn hand voor in het vuur te steken. Niet dat ik de moordenaar meteen kan aanwijzen, maar wel dat ik van een verdachte durf te zeggen dat hij het *niet* gedaan heeft. Het zit hem in de oogopslag, denk ik.'

'Weinig overtuigend argument voor een rechtbank.'

'Weet ik, Miet, maar evenzo kan niemand uitleggen waarom hij verliefd wordt op die persoon en niet op die andere... Mijn aanvoelen van schuld is iets gelijkaardigs... Die heeft het zeker niet gedaan; die misschien wel...'

'Je hebt je toch al eens vergist?'

'Eenmaal. Maar de man was dan ook een befaamd acteur en dat is Albers niet.'

'Als je morgen met een kwade Aernout te doen hebt, kunnen we nu beter gaan slapen.'

'Toch neem ik nog een boek mee naar bed. Een Maigret-verhaal.'

'Zo'n ouwe koek. Ik vind dat de commissaris te weinig sex-appeal heeft. Voor mij althans.'

'In Feys' bibliotheek zit de hele collectie.'

'Nu toch *dépassé* als misdaadroman?'

'Wordt nog veel gelezen... In dat boek wil ik nog even snuffelen.' Hij neemt een boek uit de kast en toont het haar.

'*Maigret se trompe.*'

'Ik ben het verhaal vergeten. Maar nu wil ik graag weten waarin de commissaris zich vergist heeft.'

'Je twijfelt toch aan jezelf...?'

In de vroege morgen wordt inspecteur Toets gewekt door een aanhoudend telefoongerinkel. Het bericht dat hij te horen krijgt slaat hem met verstomming...

Uit de Leie werd het lijk van een jongeman opgevist. Zware verwonding aan het hoofd. Had identiteitspapieren op zak. Het betreft Wim Albers.

WIM ALBERS

...En toen voelde hij hoe Roger zijn hoofd tussen de beide handen nam. De palmen waren zacht en warm. Hij hield het pakje boeken als een schild voor zich, maar reageerde niet. Het gezicht van Roger kwam almaar nader... tot hun lippen elkaar raakten. Even bewoog niets meer, hun adem stokte... tot hij de speurende punt van de tong voelde. Toen duwde hij met de boeken Roger van zich af, draaide zich bruusk om en holde weg, de lift voorbij, de trappen naar beneden.

Buiten adem kwam hij op de benedenverdieping, liep de duistere gang door en botste bij de deur tegen iemand op.

'Pardon, mijnheer!'

Hij was zo haastig en in de war dat hij al buiten stond toen hij zich realiseerde dat hij tegen een vrouw was aangebotst... De zachte massa die hij had gevoeld...

Hij startte de motor en reed richting stadscentrum. Waar naartoe? Hij wist het niet... In ieder geval niet meteen naar zijn kamer... Rijden zomaar... Tot hij opnieuw meester was over zijn gedachten.

Hij stopte toen hij een vrije parkeerplaats zag in de Rijselsestraat. Stapte uit. Het regende niet, maar het was fris voor de tijd van het jaar. Hij nam zijn jas van de achterbank en trok hem aan. Een wandeling zou hem goeddoen, dacht hij.

Het centrum van Walle biedt 's avonds een desolate indruk. Enkel bij warm weer als de caféterrassen overbezet zijn, kun je van een gereserveerde gezelligheid spreken. Maar het deerde Wim Albers niet, want hij wilde vooral lopen. En denken. Met zichzelf in het reine komen...

Dat krantenartikel was de aanleiding geweest... Moord, misdaad en alles wat daarover geschreven wordt; realiteit en fictie.

'Je verzameling moet al heel uitgebreid zijn.'

'Kom kijken. Heb je vanavond iets om handen?'

'Ik wil niet storen.'

'Er staat een fles wijn klaar.'

Tijdens de rit naar Rogers flat tolden de gedachten door mijn hoofd... Zou ik nu méér te weten komen over Rogers relaties? Door een foto bijvoorbeeld. Van een man of van een vrouw? Het gaat me niet aan, poogde ik mezelf wijs te maken. Had Roger dan al zo'n plaats in mijn leven ingenomen dat ik een derde als een indringer zag? Ik kon er niet onderuit: de emotionele band met Roger was sterk, en zonder dat Roger daar ooit met een woord over gerept had, wist ik dat de genegenheid wederkerig was. Hoe vaak gebeurde het niet dat ik opkeek en dat mijn blik pal in de ogen van Roger viel?

Het interieur was zoals ik het mij had voorgesteld. Een bibliotheek die twee wanden in beslag nam, litho's en schilderijen aan de muren, een netjes opgeruimd bureau, drie designfauteuils met daartussenin een lage tafel.

'Kijk alvast terwijl ik de fles ontkurk. De boeken zijn naar chronologie van de eerste druk gerangschikt. Zo kijk je in feite tegen de historiek van de misdaadliteratuur aan.'

We proefden de wijn. Château Nenin 1995. Pomerol.

'Mag ik...?' vroeg Roger en wees naar de linkerbovenhoek van de boekenkast. 'De misdaadliteratuur begint bij E. A. Poe...' En zo ging hij verder, van links naar rechts, van boven naar onder... In ijltempo doorliep hij anderhalve eeuw geschiedenis van het misdaadgenre.

'In het meinummer van Mystery Magazine publiceer ik een artikel over de historiek van de misdaadroman. Titel: "Whodunit". Ik bezorg je een kopie.'

Mijn hoofd wentelde. Vaak was ik méér geboeid door Roger zelf dan door wat hij zei. We stonden ook zo dicht bij elkaar voor de boekenkast. Voelde Roger het ook? Opeens zei hij: 'Kom we gaan zitten.' Hij schonk nog eens in. 'En wat denk je over het sociaal conflict? Komen we eruit zonder staking?'

Ik slaagde er niet in om mijn gedachten te ordenen. Roger zal een slechte indruk van mij krijgen, dacht ik. Ik vond het maar beter om weg te gaan...

Ik stond al bij de deur toen...

Een toeterende auto sneed de loop van zijn gedachten af. Hij stond voor de ingang van het tweesterrenrestaurant Broelpark. De taxi reed het parkeerterrein op. Had hij niet in een flits mijnheer Hubert herkend? Hij trok zich terug in de schaduw en wachtte... Uit de taxi stapte inderdaad de grote baas van Martins NV. Langs de andere kant stapte uit... Hij herkende hem meteen: Luc Langengracht, de nationale voorzitter van de C.B. Vakbond. Zou Verboven op de hoogte zijn van dat gesprek, vroeg hij zich af. Vermoedelijk niet. Maar zo gaat het dikwijls... Terwijl in het bedrijf onderhandeld wordt op het scherp van de snede, beslissen toplui bij het verorberen van kreeft 'Bellevue' en het degusteren van een kasteelwijn hoe het nu verder moet bij Martins NV.

Bij de kaasschotel zullen zij een compromis bereikt hebben, want staking is voor geen van beide partijen goed. Hoe de hoge heren te werk zouden gaan om hun achterban de overeenkomst te doen slikken viel nu nog af te wachten. Eén ding wist Albers wel: hij mocht in geen geval melding maken van wat hij gezien had. Misschien aan Roger... Later. Als alles weer in orde was tussen hen beiden.

Wat weet ik eigenlijk van Roger...? Toen ik kort na mijn aanwerving bij Martins NV voor het eerst een kijkje nam in de fabriek, slingerde een arbeider mij in het gezicht: 'Je baas is een flikker!' Het woord trof me als een mokerslag. Het duurde een tijd eer ik eroverheen was... Toen ik op aanraden van Roger de film Le fabuleux destin d' Amélie Poulain *ging zien, schrok ik toen ik Roger samen met een jongeman in de zaal zag zitten. Ik maakte me klein om niet gezien te worden en keek tijdens de film méér naar Roger en zijn vriend dan naar het doek. Ik zag niets dat ook maar de indruk kon wekken dat de relatie méér dan vriendschappelijk was. Na de film volgde ik beiden. Op het smalle voetpad bleven ze een halve meter van elkaar lopen. Toen gingen ze een bistro binnen... Later ontmoette ik Roger nog eens in het gezelschap van een vrouw. Ik wandelde langs de Leie en opeens stond ik oog in oog met het paar.*

'Mevrouw Jansen,' zei Roger minzaam. 'Woont ook in Residentie Leieboorden... Wandel je een eindje mee?'

Ik zocht een uitvlucht. De volgende dag kon ik niet nalaten te zeggen: 'Knap, die mevrouw Jansen.'

'En prettig gezelschap. Sinds ze weduwe is hebben we veel aan elkaar.'

Ik was de hele dag blij.

Zijn kamer gaapte hem aan als een open vraagteken.

Hij ging aan het bureau zitten en legde het stapeltje boeken voor zich neer. Drie romans die typisch waren voor een bepaald genre van de misdaadliteratuur, had Roger gezegd...

A Study in Scarlet door Conan Doyle met Sherlock Holmes als de onfeilbare speurder. Een voorbeeld van het puzzelverhaal. Pas als het laatste stukje op zijn plaats viel, wist je wie de dader was... Hij bladerde in het boek... Originele illustraties... Hoe was het mogelijk dat lezers een dikke eeuw geleden geboeid konden zijn door zulke naïeve prenten? Sherlock Holmes zag eruit als een intellectuele snob. En Watson met zijn bolhoed leek verbazend veel op Jansen en Janssen van Kuifje... Hij twijfelde of hij de moed zou hebben om Holmes te volgen in zijn speurtocht...

Before the Fact door Francis Iles; het boek waarin de misdaadroman op zijn kop werd gezet, volgens Roger. Vanaf de eerste regels wist je wie de moord zou plegen en hoe de dader het aan boord zou leggen om niet ontmaskerd te worden. De spanning in zo'n roman ontstaat door als lezer de speurder te volgen in zijn zoektocht naar de ware toedracht van de misdaad. Vroeger liep er op de televisie een reeks die op datzelfde stramien was gebouwd. Je zag de moord gebeuren bij het begin van de uitzending en pas daarna kwam speurder Columbo op de proppen. Hoe de dwaas uitziende Columbo dan toch de dader kon vatten was de boeiende leidraad.

The Remorseful Day door Colin Dexter met inspecteur Morse in de hoofdrol. Een voorbeeld van de hedendaagse misdaadroman waarin psychologie en moord verstrengeld zijn. Vooral bekend door de uitzendingen op tv. Dat was de laatste van de reeks, zei Roger, het boek waarin Morse sterft... Opeens viel uit het boek een velletje briefpapier. Eén kant was beschreven; hij herkende het handschrift van Roger...

Dodelijk ongeval door elektrocutie in het bedrijf... Basis voor een misdaadroman die zich in industriële omgeving afspeelt? Hoe kan het ongeval misdadig opgezet worden? Hoe kunnen de veiligheidsvoorschriften worden omzeild? Motief van de moord? Afgunst? Geld? Passie?

Dat was dus het basisgegeven van de roman waarop Roger zat te broeden. Hij herinnerde het zich nog goed. Een jaar geleden...

Ik was amper in dienst toen het dodelijk ongeval gebeurde.

'Kom maar overal mee,' zei Roger, 'dan leer je veel ineens.'

Ik nam deel aan vergaderingen met de preventiedienst en met de bedrijfs-geneeskundige dienst, bezocht de plaats van het ongeval met de inspecteurs van het ministerie, woonde de ondervraging door de leden van het parket bij, was notulist van de technische commissie die de reconstructie van het ongeval in beeld bracht, bezocht samen met Roger de weduwe van de overleden medewerker, was getuige van de harde besprekingen met de verzekeringsmaatschappij... Kortom, ik leerde dat de onderste steen bovenkomt als er een dode mee gemoeid is.

Niemand begreep hoe Rik Bauwens zich zo had kunnen vergissen. Weliswaar was hij de avond voordien zwaar uitgezakt met enkele collega's. En de ene kater is de andere niet... Een jammerlijke menselijke fout was de oorzaak van het dodelijk ongeval.

Hij legde het briefje terug in het boek.

Was hij nu rustig genoeg om naar bed te gaan? Na een douche zou het wel lukken...

Toch beslopen hem de vragen tussen waken en slapen in... Hoe zullen Roger en ik elkaar morgen aankijken? Wat zullen we tegen elkaar zeggen? Kunnen we doen alsof er niets is gebeurd...? Hij trachtte zichzelf te overtuigen... Roger had de stilzwijgende code geschonden, de overtreding begaan. Hij was de oudste en bovendien zijn chef; hij was het dus die zich moest verantwoorden. Het slachtoffer, als hij zichzelf zo kon noemen, mocht gewoon afwachten... Er waren méér vragen dan antwoorden. Hij was blij toen de dag begon te klaren.

Roger was er nog niet toen hij om halfacht hun kantoor binnenkwam. Zo had hij het ook bedoeld. Hij wilde er als eerste zijn; kon zich dan in een dossier verdiepen en hoefde slechts op te kijken als Roger toekwam. De laatkomer was zodoende verplicht de toon te zetten.

Om halfnegen was Roger er nog niet. Ongewoon. Hij hield zich strikt aan de uren. De secretaresse wist van niets. In haar schaduw-agenda had ze genotuleerd: *vergadering met de vakbonden?* In perioden van sociale conflicten weet je nooit iets met zekerheid; maar dat Roger nodig was in het bedrijf, wist iedereen. Hij had het er ook over gehad de avond tevoren.

Had zijn afwezigheid te maken met die kus bij het vertrek?

Albers was uiteraard de enige die zich die vraag stelde. Maar hij moest hem voor zichzelf houden. De secretaresse meldde dat er bij Roger niet werd opgenomen: noch op de vaste lijn, noch op de gsm.

'Roger is er de man niet naar om...' De rest van haar zin liet ze in het ijle verzwinden. Albers begreep haar... Roger was niet de man om met een kater in bed te liggen, om afwezig te blijven zonder op een of andere manier iets te laten horen, zelfs al was hij doodziek... Roger was een voorbeeld voor het respecteren van het reglement. Zijn afwe-zigheid wierp een dreiging af. 'En jij weet ook van niets?' voegde ze eraan toe. Albers vond dat haar vraag ietwat spottend klonk. Hoe zou zij over mij denken, vroeg hij zich af. En hoe denk ik over mezelf?

Dat mijn moeder een fille-mère *is heeft zeker invloed gehad op mijn opvoe-ding... en dus ook op mijn karakter. Een zoon zonder vader heeft een sterke moederbinding. Te sterk? Op passende leeftijd werd ik verliefd op Annie, een buurmeisje. In magazines, boeken en films bevredigde ik mijn nieuwsgierig-heid. Mijn lichaam reageerde navenant. Ik was een gezonde, normale jonge-man, dacht ik van mezelf.*

Toch voelde ik me geremd in mijn handelen. Annie vroeg me waarom ik haar niet kuste... Op de mond... Ik kreeg een rode kop en wist niet wat zeg-gen... Toen ze eens mijn hand op haar borst legde, trok ik me terug alsof ik een elektrische schok kreeg... Ik begon mezelf te ondervragen. Waarom was ik bang van het vrouwelijk lichaam? Ik zocht het antwoord in boeken, las Freud en zijn epigonen... Maar ik durfde er met niemand over te spreken. Zeker met moeder niet. Ik hield me voor dat het probleem – if any – zich vanzelf zou oplossen. Een kwestie van geduld. Eens zal ik het meisje ontmoeten waarop ik zo verliefd zal zijn dat alles vanzelf gaat... Maar ik ben nu al 25...

Verboven riep hem om tien uur voor de bespreking met de vakbonden.

Hij had moeite om zijn gedachten bij het onderwerp van de discussie te houden... Waar zou Roger nu zijn? Waarom is hij niet hier...?

Hij vond dat Verboven de leden van de vakbondsdelegatie nogal uit de hoogte behandelde. Alsof ze stoute kinderen waren. Het was duidelijk dat hij niet op de hoogte was van het onderhoud in restaurant Broelpark. Zou in dat geval anders gesproken hebben. Mijnheer Hubert zal hem straks wel tot de orde roepen. Wat toplui beslissen moet het voetvolk uitvoeren.

'Ga eens kijken wat er met Roger aan de hand is,' zei Verboven na de bespreking.

Hij zag ertegenop. Was het niet beter dat iemand anders een kijkje ging nemen? De bedrijfsarts bijvoorbeeld...?

Maar die was afwezig. Hij kon er dus niet onderuit.

Toen hij op de bel van Rogers flat drukte, hoopte hij nog altijd dat alles in orde zou blijken te zijn... Dat Roger zou antwoorden, zich zou verontschuldigen... Dat hij gisteren de slaap niet kon vatten en een pil had geslikt. Dat hij verrast was over de uitwerking ervan... Ja, dat de bel hem pas nu had wakker gemaakt... Dat hij zich schaamde; het was bijna middag...

Maar er kwam geen reactie op zijn bellen. Alles bleef stil. De conciërge dan maar... De man was weinig toeschietelijk, maar gelukkig kwam zijn vrouw net binnen. Albers meende in haar silhouet de persoon te herkennen waar hij gisteren tegenaan was gebotst. Na zijn uitleg wilde ze direct een kijkje gaan nemen in Rogers flat.

De kreet die ze slaakte na de deur geopend te hebben, had niets menselijks meer. De zware vrouw deed een stap achteruit en viel als het ware in Albers' armen. Toen zag hij het ook... Een bloedspoor vanaf de plaats waar ze stonden... door de hal, langs de open deur van de living tot aan de bibliotheek waar Roger half leunend tegenaan lag... Nee, niet Roger... Wat ooit Roger was. De gebroken houding van het lichaam, de schuine stand van het hoofd, de open mond, de holle ogen, het gestolde bloed op handen en kleren... Een lijk.

'Niets aanraken,' fluisterde hij en was verbaasd over zijn tegenwoordigheid van geest. Hij nam de sleutel uit de handen van de vrouw van de conciërge, leidde haar weg en sloot de flat af.

Albers legde aan de telefoon uit wat ze hadden gezien. Zeven minuten later kwamen politie en hulpdienst gelijktijdig aan. In de tussentijd die onwezenlijk lang leek hadden ze stilzwijgend in de hal gewacht; het conciërge-echtpaar en hij. Gelukkig was er geen enkele andere bewoner komen kijken.

De politieman die de leiding had verzocht hen (of was het een bevel?) ter plaatse te blijven en zich ter beschikking van het parket te houden.

'De heren zullen hier weldra zijn.'

De conciërge schonk een borrel in. 'Om te bekomen van het vreselijke zicht.' Hij schonk ook voor zichzelf in. Pas toen Albers het glas vast nam, zag hij hoe zijn hand beefde.

Daarna werden de vrouw van de conciërge en hij in de rol van figurant geduwd. Telkens opnieuw moesten ze aan heren die hun niet eens werden voorgesteld, verklaren hoe en wat ze hadden vastgesteld. Pas toen een jonge inspecteur ter plaatse was aangekomen, begon de zaak in orde en kalmte te verlopen.

'Jan Toets, dienstdoend hoofdinspecteur,' stelde hij zichzelf voor en vroeg of hij gebruik kon maken van de voorkamer van de conciërgeflat om een en ander te notuleren. Hij begon de ondervraging bij Wim Albers.

Nadat hij de gegevens van zijn identiteitskaart had overgenomen, nodigde hij Albers uit hem te vertellen wat er gebeurd was. Het leek aanvankelijk wat moeilijk om de juiste chronologie van de feiten aan te houden. Toets moest hem herhaaldelijk met vragen onderbreken... Waarom was hij naar de bewuste flat gekomen? En op dat uur? Hij kende het slachtoffer dus...? Ten slotte begon Albers het verhaal bij

Martins NV waar hij in dienst was om dan snel terecht te komen op de dag van gisteren.

'En u was op zijn flat?'

'Tot halfnegen; toen ben ik weggegaan. In de hal ben ik tegen de conciërge aangebotst.'

Over de omstandigheden van zijn overhaast vertrek sprak hij geen woord. Dat behoorde tot het privédomein, en hij wilde bovendien Roger niet in een verkeerd daglicht plaatsen.

'Ik heb nu weinig tijd zolang de technische ploeg ter plaatse is. Morgen praten we verder. Ik laat u weten waar en wanneer.'

De handdruk van de inspecteur was niet enkel professioneel; hij leek hem ook hartelijk te zijn.

Terug op het bedrijf werd hij overstelpt met vragen. Telkens opnieuw moest hij het verhaal van zijn gruwelijke ontdekking overdoen. Hij werd er bleek van rond de neus en voelde zich opeens zwak in de benen.

'Pak je spullen en ga naar huis; het was genoeg voor vandaag,' zei Verboven.

'De inspecteur wil me morgen verder ondervragen.'

'Blijf weg tot na de begrafenis.'

'En de besprekingen met de vakbonden?'

'Ik bel wel als ik je nodig heb.'

Hij vroeg zich af wat hij zou meenemen... De laptop uiteraard. Via intranet kon hij heel wat lopende zaken afhandelen. Toen viel zijn oog op de vulpen van Roger. Vreemd dat hij hem de avond voordien niet had meegenomen. Voor zijn Mont Blanc was hij anders zo zorgzaam. Het was met die pen dat hij 's middags schreef in zijn boek... En toen deed Albers iets waarover hij zelf verbaasd was en waarvoor hij achteraf geen verklaring zou kunnen geven... Hij trok een lade van Rogers archief open en haalde er een dikke map uit. 'Privé'. In het mooie handschrift van Roger op de flap geschreven. Hij stak de map in zijn tas. Nam ook de vulpen mee... En de collectie misdaadliteratuur...? En de litho's en tekeningen...? Wat zou daar nu mee gebeuren? Hij had een broer... Dat had Roger hem eens verteld.

Hij keek hulpeloos rond in zijn kamer. Hier stond hij dan; uitgeschud en verwezen. Wat kon hij doen...? Zijn moeder opbellen...? Nee, het zou haar alleen maar van streek brengen; haar zenuwen waren al zo frêle. Het was nu dinsdag. Vóór woensdagmorgen zou ze zeker niets vernemen van de moord. Kranten las ze niet en naar tv keek ze zelden. Hij kon beter het volgende gesprek met de inspecteur afwachten... En de begrafenis? Wanneer zou die zijn? Met een lijkschouwing weet je het nooit...

Hij maakte zijn tas leeg... De map van Roger. Waarom had hij die intuïtief meegenomen? Opeens meende hij het te weten. Geen schending van het privédomein van zijn chef; maar veeleer een eerbetoon... Hij zou de misdaadroman die Roger aan het schrijven was tot een goed einde brengen. Zo kon hij hem postuum nog een geschenk aanbieden... Hij verbeeldde zich al het voorplat van de roman.

ELEKTROCUTIE

Misdaadroman
Roger Feys & Wim Albers

Een schrijversduo is gebruikelijk in het thrillergenre. En als omslagillustratie de foto van een fabriekshal. Het liefst in zwart-wit; heeft meer sfeer dan in kleur.

De map van Roger viel uiteen in twee delen; enerzijds een aantal losse bladen van velerlei kleur en afmeting, anderzijds een schrift met alle kenmerken van een ouderwets 'manuscript'...

Albers bedwong zijn nieuwsgierigheid naar het eindresultaat en nam systematisch de aantekeningen door.

De eerste notitie leek belangrijk te zijn voor Roger, want hij had ze in een kadertje geplaatst.

> *De perfecte misdaad is de misdaad die als een ongeval wordt geclassificeerd.*
>
> *Elektrocutie is (meestal) een ongeval, maar kan ook een geënsceneerde misdaad zijn.*
>
> *Gegevens verzamelen hoe dat in de praktijk kan worden uitgevoerd.*

Roger had er blijkbaar werk van gemaakt.

Hij had gesproken met vele personen die van ver of van nabij betrokken waren geweest bij het arbeidsongeval waarvan Rik Bauwens het slachtoffer was.

Eerst met de technici van de onderhoudsdienst... Vooral Bert Schepers kwam uitgebreid aan het woord. Hij was tenslotte de voorman van de elektriciens.

Albers begreep weinig van de technische uitleg... Terwijl Roger daarentegen alles wilde weten... Wat hoog- en laagspanning is. Hoe een elektriciteitscabine aan- en afgeschakeld wordt. Hoe een spanning gemeten wordt. Vanaf welke voltage een stroomstoot dodelijk is enz. Albers realiseerde zich dat het schrijven van een misdaadroman niet zomaar een gratuite bezigheid is: een auteur moet weten waarover hij het heeft.

Vervolgens waren er rapporten van de gesprekken met de verantwoordelijken voor het preventiebeleid binnen het bedrijf.

De bedrijfsarts... Albers moest glimlachen toen hij las hoe Roger hem getypeerd had. Als een man die uitsluitend door een medische bril naar alle menselijk handelen kijkt, maar een totaal gebrek aan empathie heeft. En zichzelf voortdurend op de sokkel zet. Met een ego zo groot als de hoogste schoorsteen van het bedrijf. Het ongeval met Rik Bauwens was volgens hem eens te meer het bewijs dat er te weinig middelen ter beschikking van de medische dienst werden gesteld. En dat de werknemers onder al te grote stress moesten werken. Hij had al jaren geleden het voorstel geformuleerd om een onderzoek dienaangaande te doen. Maar alleen de verhoging van de productiviteit telde... En wat Rik Bauwens betrof: hij had enkel zijn dood kunnen vaststellen. Was bovendien veel te laat op de hoogte gebracht... In het afgelopen jaar dat Albers bij Martins NV in dienst was, had hij de man evenzo ervaren.

Ingenieur Delrue, hoofd van de preventiedienst... Opnieuw treffend getypeerd door Roger... Een harde werker die los van status en aanzien zich onbaatzuchtig inzet voor de veiligheid binnen het bedrijf. Hij was kapot van het ongeval met Rik Bauwens. Begreep niet hoe zoiets mogelijk was. De feitenboomanalyse had geen sluitende verklaring gegeven; het ongeval kon enkel aan een menselijke fout te wijten zijn. Maar voor iemand als Rik Bauwens! Hij was lid van het veiligheidscomité! Ingenieur Delrue kon er maar niet bij. Hij ervoer het dodelijke arbeidsongeval als een persoonlijke nederlaag.

De voorzitter van het Comité voor Preventie en Welzijn had weinig te vertellen. Hij jammerde over de vakbonden die het bedrijf de schuld van het ongeval in de schoenen schoven. Zij hadden in het Comité verzet aangetekend tegen het afgezonderd werken. Als ze met z'n tweeën aan het werk waren geweest, dan zou er misschien nog redding mogelijk geweest zijn, maar dat was zogezegd te kostbaar volgens de directie... De voorzitter herleidde blijkbaar alle aspecten van het bedrijfsleven tot een strijd tussen de directie en de vakbonden. Hij was al dicht bij zijn pensioen, wist Albers, en dat verklaarde enigszins zijn verbitterde kijk op het werkoverleg.

Verboven werd ook getypeerd... De ietwat brommerige maar goede personeelsdirecteur die droomt van een werkgemeenschap waarbij alle mensen 'van goede wil zijn'. Rogers genegenheid voor zijn chef sprak er duidelijk uit.

Er zat ook een blaadje in het dossier met het opschrift: 'Assistent van de bedrijfsjurist'. Albers las met rode oortjes...

De jongeman is pas in dienst als het vermeende ongeval gebeurt. Een verstandige knaap, maar uitermate naïef. Kijkt naar de wereld met de ogen van een puber. De onschuld (die van het kind) is nog op zijn gezicht te lezen. Hij volgt samen met de bedrijfsjurist het verloop van een zaak à la Rik Bauwens en komt mede daardoor in aanraking met de minder fraaie kanten van de menselijke

natuur. Het is voor hem de leerschool van 'het volwassen worden'. Lijkt een
geschikt personage om er een liefdesgeschiedenis aan te verbinden. Bijvoor-
beeld verliefd laten worden op de weduwe van het slachtoffer.

En Roger schreef dat over hem terwijl hij er als het ware op zat te
kijken!

Het losbladige dossier bevatte verder nog notities van de gesprekken met leden van het parket, met de inspectiediensten van het
ministerie, met de verzekering, en met alle instanties die betrokken
partij zijn bij een dodelijk arbeidsongeval. Ook de weduwe en de familie van het slachtoffer kwamen aan bod.

De allerlaatste notitie was in dik schrift geschreven. Duidelijk de
afsluiting van het voorbereidende werk...

Synthese van de roman.

In een bedrijf wordt een moord gepleegd door elektrocutie. Het misdrijf
gebeurt zodanig dat het op een arbeidsongeval lijkt. Het onderzoek bevestigt
de thesis van ongeval.

De dader van de moord waant zich veilig... tot er een jaar na de feiten iets
gebeurt waardoor de versie van het ongeval opnieuw ter discussie wordt gesteld.

De bedrijfsjurist doet stiekem een onderzoek en slaagt erin de ware toe-
dracht van de feiten te achterhalen.

De dader wordt ontmaskerd.

Hoe had Roger nu al deze gegevens verwerkt in een misdaadverhaal?
Het manuscript telde ongeveer zestig pagina's. Met een zekere
schroom begon Albers te lezen.

Hij las het in één ruk uit... Roger vertelde rechttoe-rechtaan, in een
realistische stijl, met weliswaar een zekere 'polijsting' van de taal van
de modale arbeider. Die het trouwens nog altijd bij het dialect hield.
Als Oost-Vlaming had Albers het aanvankelijk moeilijk gehad met het
taaltje van de streek. Wat hem verbaasde was de grote vrijheid waarmee Roger het materiaal had verwerkt. De plot opgebouwd rond het

elektrocutieongeval was gebleven, maar Roger had personen en feiten naar eigen hand gezet. De personages kregen niet alleen een fictieve naam, ze werden ook door elkaar gehaspeld. Zo had hij bijvoorbeeld de karaktertrekken van de bedrijfsarts verwisseld met die van het hoofd van de preventiedienst. En ook Verboven kwam er vertekend uit. De leiders van de vakbond waren wel herkenbaar en bedrijfsjurist Peter Brems leek als twee druppels water op Roger Feys. En zijn assistent...? Die kwam tot dusver in het verhaal niet voor. Wim Albers vroeg zich af of hij dan niet boeiend genoeg was om als personage op te treden in de roman? De vraag ontstemde hem in zekere mate.

De inhoud van het verhaal was als volgt: Rik Adams en Bob Gevers zijn dikke jeugdvrienden. Onafscheidelijk als het ware. Ze wonen in een arbeiderswijk van het gehucht Pottelberg. Na de technische school, waar ze een opleiding tot elektricien volgen, treden beiden in dienst bij het grote engineering bedrijf Newcom. Samen gaan zij in het weekend uit, op zoek naar vertier en naar de droomprinses. Bob wordt hals over kop verliefd op Joyce en meent dat het wederkerig is. Tot hij op een avond zijn liefje verrast in de armen van Rik. Die gebeurtenis werpt een schaduw op hun vriendschap, maar Bob lijkt zich uiteindelijk te schikken in zijn verlies. Rik en Joyce trouwen en Bob wordt een loyale vriend des huizes. Zo verlopen enkele jaren... Maar wat te verwachten is, gebeurt ook. Bob en Joyce worden minnaars. Stiekem weliswaar, maar des te hartstochtelijker. Hoewel ze goed beseffen dat die situatie niet eeuwig kan duren... Maar tot zolang tarten zij het lot.

Bob en Rik spelen al jarenlang met de lotto. Ze vullen gezamenlijk het formulier in en hopen iedere week dat ze multimiljonair zullen worden. Tot zover zijn slechts kruimels van de geldtafel hun deel geweest. Tot die bewuste keer... Bob is ziek en met zijn toestemming heeft Rik alleen het formulier ingevuld. Bob zal later wel zijn inzet betalen. Resultaat: een miljoen euro gewonnen. Maar wat blijkt? Rik heeft op het formulier enkel zijn naam ingevuld. Hoe Bob ook hemel en aarde beweegt, er is geen speld tussen te krijgen. Rik heeft de inzet volledig betaald en het formulier correct ingevuld. Het miljoen was dus voor Rik Adams. Met tegelijk het einde van hun vriendschap.

Joyce en Bob beramen een plan om Rik te doden. De ex-vrienden zijn werkzaam in de onderhoudsploeg van Newcom. Voorman Bob regelt er de activiteiten. Hij beraamt een plan om Rik te doden door elektrocutie, maar wel zodanig dat het als een arbeidsongeval zal worden aanvaard.

En het script eindigt aldus...

Toen hij een kwartier later aan het andere eind van de leiding de zekering losmaakte, sloeg een felle steekvlam uit. Hij slaakte een gesmoorde kreet en viel sidderend neer.

Hij bewoog niet meer toen iemand voorzichtig naast hem knielde en zijn naam fluisterde: 'Rik... Rik...'

De volgende pagina van het script was blank op één regel na:
Eén jaar later...

Albers begreep dat dit de aanvang van het tweede deel van de roman was. Dan zou er iets gebeuren waaruit zou blijken dat de elektrocutie geen ongeval was maar wel moord. Als hij zijn voornemen wilde uitvoeren dan moest hij dat tweede deel schrijven. Maar nergens had Roger een notitie gemaakt over wat er precies gebeuren zou een jaar nadien... Albers had er het raden naar. Maar een schrijver hoort nu eenmaal verbeelding te hebben...

Een uur later gaf hij het op. Deed het script dicht. Hij kon niets verzinnen.

Waarom lukt het niet? Omdat ik nu zelf betrokken ben bij een moordzaak? Omdat ik geen schrijver ben? Omdat de woorden die Roger over mij geschreven heeft voortdurend terugkomen...? In zijn ogen ben ik een puber... En hoe denkt inspecteur Toets over mij? Is de sympathieke tinteling in zijn ogen ook een uiting van bescherming? De volwassene die een kwetsbare jongeman wil ontzien? Wat zal hij me morgen vragen? Hoe mijn relatie met Roger was? Of ik hetero- dan wel homoseksueel ben? Is het in mijn ogen te lezen dat ik nog een onbeschreven blad ben...? Bij een moord wordt alles uitgespit; wordt iedereen uitgekleed... Misschien zullen ze mijn moeder ondervragen... Ik bel haar op en vertel alles.

Na het telefoontje met zijn moeder, waarbij hij haar had verzekerd dat met hem alles in orde was, beving hem opeens een benauwdheid. De muren van zijn kamer leken alsmaar dichterbij te komen. Hij moest weg uit die beknellende ruimte. Naar buiten. Wandelen. Zoals gisteren... Het was al donker. Automatisch deed hij hetzelfde parcours als de avond daarvoor. Hij wist waarom, maar durfde het aan zichzelf nog niet te bekennen. Naast restaurant Broelpark was de Bar Amigo. Op het bedrijf had hij over dat etablissement smeuige verhalen gehoord... Na een royale maaltijd heeft de man soms zin om de sensuele geneugten voort te zetten. In Bar Amigo kan dat. En met dezelfde klasse als in Broelpark. De meisjes zijn er goed opgevoed, niet opdringerig, smaakvol gekleed... Niets hoeft; alles mag. Klanten van Broelpark worden bij middel van een stijlvol kaartje op tafel discreet op de hoogte gebracht van de mogelijkheden naast de deur... Zakenrelaties van Martins NV maken er soms gebruik van. De factuur van de verleende diensten komt bij het bedrijf terecht en wordt geboekt onder de rubriek 'relatiegeschenken'.

Eenmaal heb ik een klant vergezeld tot in de Amigo. Weliswaar enkel tot in de knus ingerichte bar waar knappe hostesses de gasten het leven aangenaam maken. In zwart aansluitend mantelpak zien ze er onwezenlijk slank en onmetelijk lang uit. Eentje kwam naast mij zitten... Heb haar meteen verteld dat ik klant X vergezelde en dat ik zo meteen weg moest... Ze bleef me vriendelijk aankijken.

'Als het nu niet past, dan misschien een volgende keer,' zei ze glimlachend. Haar stem was diep en vol, de spraak beschaafd. Ik kreeg er rillingen van. Een stem kan me diep ontroeren. Hoe charmant en lief onze secretaresse bij Martins NV ook is, haar hoge slepende manier van spreken is een hindernis om er echt op je gemak mee te zijn. Het is sterker dan mezelf. Enkel Roger wist het... Maar die vrouw had een heerlijke stem. Ze deed me denken aan Nicole Kidman uit de film Moulin Rouge. *Toen ik het haar zei, lachte ze hardop; een kabbelende beek. Ik vroeg me af hoe oud ze was. Vermoedelijk jonger dan ik. En toch had ik de indruk dat ze mij als een moeder zou begrijpen mocht ik haar bekennen dat... 'Je Amerikaanse klant wordt ongeduldig,' fluisterde ze*

me in het oor. Ik wist wat het betekende. 'Tot ziens,' zei ze nog en beroerde even mijn knie. Ik verbeeldde me later dat ze naast mij in bed lag.

Even nog aarzelde hij bij de deur. Als ze er nu eens niet was... Wat dan? Zou ze hem nog herkennen? Vermoedelijk niet. In haar beroep waren mannen uitwisselbaar. Hij glimlachte om zijn koddige definitie... Maar het woord 'prostituee' vond hij desondanks niet passend voor haar. Zelfbedrog, wist hij, maar toch... Hij stapte naar binnen.

Ze was nergens te zien. Maar omdat er op dat uur nog niemand in de bar was, durfde hij niet meteen weg te gaan. Een ander meisje bediende hem. Hoe dwaas was hij toch. Hij kende niet eens haar naam... Kon moeilijk vragen of Nicole Kidman in huis was. Hij keek triestig tegen zijn gin-tonic aan. Had al laten blijken dat hij geen interesse had voor het meisje dat hem bediende en dat even rond zijn persoontje had gedraaid. En toen kwam ze opeens van achter het rode gordijn te voorschijn: als een actrice die aan haar optreden begint. Ze glimlachte en kwam naast hem zitten.

'Ik was hier enkele weken geleden en ...' Hij begon te stamelen en keek haar smekend aan.

'Sommige gezichten vergeet ik nooit,' zei ze. 'Van mannen althans.'

Hij voelde hoe zijn ogen zich met tranen vulden. Niet wenen, beval hij zichzelf, maar toch zag ze het.

'Wat is er?' Ze legde haar hand boven op de zijne.

'Mijn vriend is vermoord,' zei hij plompverloren, hoewel hij wist dat het niet de juiste reden was.

'Mag ik ook iets?' Uiteraard champagne. Hij kende de regels van het huis.

Haar aanwezigheid naast hem werkte kalmerend... Hij vertelde haar wat hij vandaag al had beleefd... En dat de politie hem nu zou verdenken... En dat... Ze kneep stevig in zijn hand.

'Je doet me aan mijn moeder denken.' Hij dacht dat hij een flater beging. 'Maar veel jonger,' voegde hij er schaapachtig aan toe.

'Ik denk niet dat ik geschikt ben voor het moederschap,' lachte ze. 'Hoewel... Mocht ik vooraf weten dat ik zo'n knappe zoon zou hebben...'

'Ik ben voor jou hierheen gekomen. Ik dacht...'

'Niet denken. Kom,' zei ze en wees naar boven alsof ze naar de hemel zouden gaan.

'Ik heb nog nooit...'

'Ik evenmin met jou.'

Hij volgde haar als in een droom...

Toen hij Bar Amigo verliet, wist hij dat de bankbiljetten die hij er achterliet goed besteed waren. Hij voelde zich nu man. Zou inspecteur Toets het verschil zien? En zijn moeder?

Hij viel als een blok in slaap.

Hij wou net koffiezetten toen de inspecteur aanbelde. Albers keek nog even in de spiegel... Nee, dat het een korte nacht was geweest zou niemand zien. Die lichtblauwe trui met rolkraag stond hem goed.

'Ik stoor niet, mijnheer Albers?'

'Ik wou net koffie maken.'

'Drinken we straks. Eerst enkele formaliteiten.'

Ze liepen het rijtje af...

'Uw domicilie is in Sint-Niklaas?'

'Ik woon bij mijn moeder.'

'In de week bent u hier?'

Enzovoort...

Hij doorstond de ondervraging goed. Toch schrok hij toen Toets hem vroeg om zijn vingerafdrukken te mogen nemen.

'Ik heb toch al gezegd dat ik die avond op Rogers flat ben geweest? En een glas wijn heb gedronken...'

'Er zijn nu eenmaal formaliteiten die moeten gebeuren...' En Toets begon te vertellen over de vele kleine en minder prettige kanten die er aan een job bij de recherche verbonden waren 'En dat lees je niet in politieromans,' besloot hij.

Daarna dronken ze koffie. Het leek een babbel tussen twee vrienden. Albers voelde zich helemaal ontspannen.

'Vertel nu eens over uw job bij Martins NV.'

De inspecteur wilde alles weten. Vooral toen hij over Roger begon, vuurde Toets zijn vragen af.

'Was jullie relatie méér dan louter professioneel?'

Zonder zijn ervaring in de Amigo zou hij het hiermee moeilijk hebben gehad. Maar nu had hij zichzelf ontdekt. Hij droomde al van een nieuwe vriendin. Toch was hij opgelucht toen ze terechtkwamen bij de passie van Roger: de misdaadliteratuur. Blijkbaar wist ook Toets er een en ander van af.

'Om zijn bibliotheek te zien was u die avond op zijn flat?'

'Een indrukwekkende collectie. Maar dat zult u zelf al gezien hebben.'

'De moord is gebeurd tussen acht en elf. U begrijpt dat u in een moeilijk parket zit?'

De omslag van hun gesprek... De losse babbel tussen twee vrienden veranderde opeens in de gerichte ondervraging van een verdachte door de politie. Albers schrok ervan. Dacht de inspecteur werkelijk dat hij Roger had vermoord? Dan begreep de politieman er niets van; dan was zijn bewering dat hij bij de recherche was gegaan om een betere wereld te helpen bouwen larie en apekool; dan was het hoognodig dat de inspecteur een cursus in elementaire psychologie volgde; dan moest mijnheer Toets eens met Verboven praten om van hem te horen hoezeer hij zijn chef en mentor waardeerde...

'Ik ga nu naar hem toe.'

De handdruk van Toets leek warm en hartelijk, hoewel de begeleidende woorden toch een zekere dreiging inhielden. 'U zult begrijpen, mijnheer Albers, dat dit niet ons laatste gesprek is.'

Hij was danig in de war. Hoe kon hij de vermoedens die op hem wogen afwentelen?

Was het de kop koude koffie die hij in één teug dronk die hem opeens helderheid gaf...? Hij trachtte zich zo exact mogelijk de woorden van Toets te herinneren. De inspecteur had ze zowat terloops gezegd toen ze het over de misdaadroman hadden...

'Over de meest interessante misdaden worden geen boeken geschreven omdat we ze niet eens kennen. Ze komen terecht in de rubriek "dodelijke ongevallen".'

Ja, zo had hij het gezegd. Hoe was het mogelijk dat hij, de naaste medewerker van Roger Feys, niet eerder het verband had gelegd tussen het elektrocutieongeval en de moord op zijn chef? Wat hem nu te doen stond was duidelijk... Voor de goede orde zette hij alles op een rijtje...

Ik ben verdachte nummer één. Heb geen alibi. Ben wel goed geplaatst om op korte termijn iemand anders als hoofdverdachte naar voren te schuiven.
Daartoe:
duik ik de nodige tijd onder (hotel? bij Jef?) zodat ik zeker niet ter ondervraging in voorlopige hechtenis word geplaatst;
onderzoek ik zo vlug mogelijk wat er precies gebeurd kan zijn bij het elektrocutieongeval. Interessante getuigen zijn: de moeder van Roger, de zus en de weduwe van Rik Bauwens, de voorzitter van het Comité voor Preventie, collega's van R.B. (buiten de werkuren ondervragen en op neutraal terrein, bv. in een café);
vanavond het dossier van het ongeval uit het archief van Roger lichten;
na twee dagen moet ik voldoende weten om weer contact te kunnen opnemen met inspecteur Toets (dag van de begrafenis?).

Hij las de notities nog eens aandachtig na. Dat was het. Het gaf hem een goed gevoel tot actie te kunnen overgaan.

'Hello Jef, met Wim Albers.'
'Hey! Leuk van je te horen. Heb je nieuws?'
De stem van Jef klonk altijd opgeruimd. Optimisme was wat hij het meest bewonderde bij zijn vriend. Ze hadden elkaar op de universiteit leren kennen. Het klikte meteen tussen hen, hoewel ze in alles zeer verschillend waren. Of was het juist daarom?
Na hun studie waren hun wegen uit elkaar gegaan, tot hij enige maanden geleden van Jef bericht had gekregen dat hij aanvaard was

als lid van de balie van Walle. Ze hadden hun 'geografische hereni-
ging' gevierd met een etentje in bistro Marius op de Grote Markt,
gevolgd door een bezoek aan hun respectievelijke 'koten'. Daarna was
het - ondanks beloften - nog niet tot een hervatting van hun Gentse
studentenvriendschap gekomen. Blijkbaar hadden ze het te druk met
de uitbouw van hun professionele loopbaan. Of was het gewoon 'de
student' die in beiden afgestorven was?

'Door verbouwingen aan het tehuis zoek ik onderdak voor een
drietal dagen. De huisbaas betaalt de rekening van een hotel maar
het zou prettiger zijn als ik bij jou zou kunnen logeren. Je hebt me
toen gezegd...'

'Van harte welkom en ik zal je niet storen want over een halfuur
vertrek ik naar een congres in Parijs en blijf er tot zondagavond. De
flat is voor jou, met alles erop en erin. De sleutel leg ik onder de deurmat...'

Albers was opgelucht. Een hotel was maar een hotel en eerlijk
gezegd op de flat van Jef zou het 'in eenzaamheid' heerlijk vertoeven
zijn. Als alles eenmaal voorbij was, zou hij zijn leugen om bestwil uitleggen.

Een uur later verliet hij zijn eigen 'studentenkot', beladen met
laptop, boeken, dossiers en de nodige spullen voor een driedaagse.

Na zich geïnstalleerd te hebben ging hij meteen tot de actie over.

Na enkele telefoontjes kon hij de rest van de dag volboeken met
afspraken:

15 u. Moeder van Roger;
16 u. Mevrouw Bauwens, zus van R.B.;
17 u. Betty Craem, weduwe van R.B.;
18 u. Café Belfort, vakbondssecretaris K. Peeters.;
19 u. Café Bellevue, ingenieur Delrue, hoofd preventiedienst.

De leugens die hij daarbij verzonnen had moest hij zich goed in het
geheugen prenten.

En 's avonds het dossier van het ongeval uit het archief lichten om het grondig te bestuderen... Hij onderdrukte alsnog het vermoeden dat zich in zijn geest vormde.

'Twee keer zijn jullie samen hier geweest. De eerste keer was...'

Albers keek vertederd naar de bejaarde vrouw, terwijl ze liet blijken hoe goed haar geheugen nog was. Roger sprak altijd met groot respect over zijn moeder. En het was waar, hij was in zijn gezelschap tweemaal bij haar op bezoek geweest en had daarbij de prettige indruk gehad dat ze hem graag mocht. Ook nu vertelde ze met een heldere klank in de stem, ondanks de droevige omstandigheden.

Het eerste kwartier van zijn bezoek was pijnlijk geweest. De stuntelige uitdrukking in de deelneming van haar rouw enerzijds; haar betraande ogen met de krop in de keel anderzijds... Maar allengs was het gesprek vlotter verlopen. Het was tijd om ter zake te komen.

'Hebt u het met inspecteur Toets gehad over dat elektrocutieongeval van een jaar geleden?'

Haar verbazing was echt. 'Alleen over de dood van Roger. En over mijn andere zoon die...' Ze stopte abrupt, bedacht zich en glimlachte. 'Aan jou mag ik het wel vertellen. Die avond was Robert hier en...'

Albers moest opnieuw geduld oefenen. Hij zag zijn kans schoon om het gesprek te sturen toen de oude dame de lof zong van inspecteur Toets... 'En zo tactvol dat hij was...'

'Precies, mevrouw Feys, een fijn man. Ik was dan ook vereerd toen de inspecteur me vroeg om mee te werken aan het onderzoek. We zijn na een gedachtewisseling tot de overtuiging gekomen dat er een verband moet bestaan tussen de dood van Roger en het elektrocutieongeval. Omdat ik nu eenmaal vertrouwd ben met de toestand en de werkzaamheden in het bedrijf, heeft hij me ingeschakeld.'

'Een verband tussen beide, mijnheer Albers?'

Ze had dus goed geluisterd en was bij de pinken.

'Het is niet uitgesloten, mevrouw Feys, dat er bij dat ongeval kwaad opzet in het spel was en dat Roger erachter gekomen was. In dat geval ligt het motief voor de hand. De regisseur van het ongeval, als ik het zo mag zeggen, legt Roger het zwijgen op.'

'En wie is de regisseur?'

'Dat weet ik nog niet, mevrouw, maar misschien kunt u me helpen om hem te vinden. Denkt u eens goed na... Heeft Roger nooit iets gesuggereerd in verband met dat dodelijke ongeval?'

Ze trok haar voorhoofd in rimpels. Schudde met het hoofd... 'Hij wilde dat ongeval gebruiken als, als...'

'Als plot...'

'Juist, als plot voor een misdaadroman. Een ongeval dat later een moord blijkt te zijn. Zo heeft hij me verteld.'

'Misschien is het in werkelijkheid ook zo verlopen en is Roger al schrijvend achter de waarheid gekomen. De realiteit achterhaalt de fictie vaker dan men denkt.'

'Bij het minste vermoeden zou Roger de politie gewaarschuwd hebben.'

'Misschien wilde hij eerst een sluitend bewijs en is hem dat fataal geworden.'

Ze bleef met het hoofd schudden. 'Rik Bauwens was de broer van de ex-vrouw van Robert... Het was zo al delicaat genoeg voor Roger.'

Hij verzweeg dat hij aansluitend een afspraak met mevrouw Bauwens had.

'Had Rik Bauwens vijanden? Of rivalen?'

'Ik heb aan één moord genoeg, mijnheer Albers. Het spijt me.'

Hij begreep dat de rest van het gesprek 'beleefdheid' zou zijn.

Bij mevrouw Bauwens verzon hij hetzelfde verhaal met dezelfde toelichting. Hij schrok toen ze hem zei dat ene inspecteur Snels net de deur uit was. Maar ze liet duidelijk blijken dat ze de politieman niet pruimde. Het was gemakkelijker praten met iemand die Roger goed had gekend, zei ze.

Op het laatste feest van het bedrijf waarbij haar man gedecoreerd werd voor 25 jaar dienst, zat hij aan tafel naast mevrouw Bauwens. Hij vond haar een knappe en interessante vrouw; een beetje koel weliswaar, maar vol ironie. Dat ze de ex-vrouw van Rogers broer was, maakte haar in zijn ogen nog boeiender. Ze ondervroeg hem toen over alles en nog wat; het leek bijwijlen op een verhoor. Na het feest zei Roger: 'Mijn ex-schoonzus was blijkbaar erg in jou geïnteresseerd.' Hij kleurde rood en vond zichzelf dwaas.

'Vreemd dat u ook denkt dat er een verband moet zijn met het ongeval van mijn broer.'

Ze zaten in de salon. Mevrouw Bauwens zag er zeer verzorgd uit. Strikte rechte rok, witte bloes met lange mouwen, schoenen met hoge hak, glanzend fijne nylons, discrete make-up... Albers kon zich niet voorstellen dat ze er alle dagen zo uitzag. Hij had het gevoel gehad dat Roger een beetje verliefd was op haar. 'Mijn broer verdiende het niet zo'n vrouw te hebben,' had hij eens gezegd. Ze was daarna gehuwd met Jos Buysse, het hoofd van de informatica-afdeling van Martins NV.

'U hebt er meteen aan gedacht, mevrouw Bauwens? Waarom?'

'Omdat ik niet kon geloven dat mijn broer nalatig zou zijn geweest bij dat ongeval. Zoals ik hem kende...'

'Iedereen kan wel eens verstrooid zijn, mevrouw.'

'Rik niet in zulke zaken. Heb ik toen ook tegen Roger gezegd, maar er kon niets bewezen worden.'

'Hebt u bij het gesprek met mijnheer Snels naar het ongeval verwezen?'

'Eventjes... Maar die man heeft een olifantenvel. Hij zocht het voornamelijk in de richting van mijn ex.'

'Maar als er bij het ongeval misdadig opzet was, dan moet er een motief zijn. Wie had er belang bij de dood van uw broer?'

'U kent zijn vrouw?'

''t Is te zeggen...'

Ik heb weduwe Betty Craem voor het eerst ontmoet toen ik haar samen met Roger ging condoleren. Het was twee dagen na het ongeval; de voorbereiding van de begrafenis was volop bezig. De naaister stond op het punt te vertrekken. Ze had de maten van mevrouw genomen. Voor een zwart mantelpak. 'En maak dat het goed strak zit,' kreeg ze nog als raad mee. Na die woorden vond er bij Betty Craem een ware metamorfose plaats. In een fractie van een seconde ver-

anderde ze van een knappe mannequin in een treurende echtgenote. Ze wendde
zich theatraal naar de beide afgevaardigden van Martins NV, sloeg de handen
voor het gezicht en begon hardop te snikken. We stonden er beteuterd bij.

'Rik... Rik...' huilde ze kermend. Ik had de indruk dat ik in een opera was
beland. De ouverture duurde tien minuten; daarna werd mevrouw Craem
opnieuw de knappe vrouw die ze was. Bij de begrafenis was ze uitermate ele-
gant in haar zwarte mantelpak... Later was ze nog een paar keer op het bedrijf
gekomen om de financiële kant van de zaak te regelen. Ik ving slechts een glimp
van haar op; het gesprek met Roger verliep in een van de spreekkamers. 'Een
moeilijke tante,' zei hij achteraf. 'Het is nooit genoeg.' Ik vond wel dat ze er tel-
kens uitzag alsof ze van de cover van een glossy magazine was gestapt.

''t Is te zeggen; ik ken haar enkel van zien.'

'Dan hebt u het beste gehad.'

'U hebt blijkbaar een hekel aan uw schoonzus.'

'Ze bedroog mijn broer met Jan en alleman.'

'En u denkt dat zij aan de basis ligt van de dood van uw broer...?'
Hij wachtte lang maar ze ging niet in op zijn vraag. 'Hoezo?' vroeg
hij ten slotte.

'Ze fluistert een van haar minnaars in het oor dat ze met hem het
bed wil delen maar dat haar man in de weg staat.'

'En die minnaar ensceneert dan de moord als een ongeval... Lijkt
logisch. En met wie deelt de weduwe nu het bed?'

'Zo dom is ze nu ook weer niet. Vele mannen maken haar het hof,
maar een keuze maakt ze blijkbaar niet. Ze vertelt overal rond dat ze
lang genoeg wil wachten eer ze een nieuwe relatie begint.'

'Er is nu al een jaar voorbij.'

'Ik heb gehoord dat ze nu koketteert met haar advocaat. Tot spijt
van Bert Schepers.'

'U hebt uw vermoeden met Roger besproken?'

'Uiteraard. Maar hij bleef toch geloven in de thesis van een ongeval zolang er geen nieuwe feiten aan het licht kwamen.'

'Misschien was hij een nieuw feit op het spoor gekomen.'

'U kent hem genoeg om te weten dat hij niet lichtvaardig een oordeel velde... Mocht hij ook maar het minste bewijs van misdadig opzet in handen gehad hebben, dan had hij meteen de politie ingeschakeld.'

'Misschien stond hij op het punt dat te doen en kreeg de moordenaar er op een of andere wijze lucht van.'

'Mogelijk. Maar tegen mij heeft hij er niets over gezegd. Wel dat hij met het gegeven van het ongeval een verhaal aan het schrijven was.... Heeft hij u iets verteld?'

'Verboven is de enige man in het bedrijf met wie hij over zo'n delicaat onderwerp zou praten.'

'In dat geval zal de politie het wel horen...'

Het werd Albers opeens vreemd te moede... In een flits zag hij een scenario waaraan hij tot voor kort nooit had durven te denken... Als Verboven nu eens verliefd was op Betty... Hij gaat weldra met pensioen. Incasseert hierbij een dik kapitaal dat hem persoonlijk toekomt... Albers had onlangs met zo'n geval te doen gehad. Een ingenieur die er daags na zijn pensionering met een andere vrouw vandoor ging. De verlaten echtgenote eiste een deel van het pensioenkapitaal op. De rechtbank oordeelde echter dat ze enkel aanspraak kon maken op een gedeelte van het wettelijk pensioen; het kapitaal was integraal het eigendom van de man... Als Roger aan Verboven had laten doorschemeren dat hij Betty ervan verdacht medeplichtig te zijn aan de moord op haar echtgenoot... dan mocht Verboven zijn liefdesdroom vergeten... Nee, dat was al te gek... Maar de sprong van zijn verbeelding deed Albers wel beseffen dat hij met een gevaarlijk spel bezig was... Wie met misdaad omgaat, ziet weldra in ieder mens een potentiële moordenaar. Of is dat de werkelijkheid...? Dat we allen tot doden in staat zijn en dat de omstandigheden bepalen of we al of niet tot de daad overgaan...?

'Scheelt er iets? U ziet opeens zo bleek... Een glaasje water?'

Albers dronk langzaam. Legde uit dat hij de vorige nacht geen oog had dichtgedaan... dat het beeld van de vermoorde Roger hem steeds voor ogen kwam... Zo verlieten ze het gevaarlijke pad van het onderzoek en praatten vervolgens met tederheid en schroom over een dierbare afgestorvene.

Hij wist het schoonheidssalon van Betty terug te vinden; een opge-knapt herenhuis langs de Gentse Steenweg. Een jaar geleden had hij er samen met Roger de weduwe Bauwens gecondoleerd bij het schie-lijk overlijden van haar echtgenoot.

Hij zag dat het salon ondertussen volledig vernieuwd en uitge-breid was. Het bevatte toen enkel coiffure en manicure, terwijl er nu ook gezichtsverzorging, epileren, massage en *total beauty* aangeboden werd. Dat alles gebeurde blijkbaar op een discrete wijze in diverse kamertjes die met gordijnen waren afgeschermd.

Een slank meisje keek hem nieuwsgierig aan. 'Mijnheer...?'

'Wim Albers. Ik heb een afspraak met mevrouw.'

De sfeer van vrouwelijkheid was totaal en overrompelend. Nog geen achtenveertig uur geleden zou hij hals over kop uit zo'n omgeving zijn gevlucht. Maar na zijn belevenis in Bar Amigo was hij niet bang meer.

Hij keek naar het meisje met een welwillende blik. Ze was het blijkbaar gewend vriendelijk bekeken te worden: het voorrecht van knappe mensen.

'Ik verwachtte u. Wees welkom.' Even moest Albers zoeken waar de warme stem vandaan kwam. Betty Craem trok een gordijn opzij en kwam te voorschijn.

'Blij u terug te zien.' Ze kwam hem met uitgestoken hand tegemoet.

Tot nu toe had hij zich Betty Craem voorgesteld als een domme gans, maar haar blik was doordringend en intelligent. Had hij zich vergist? Een knap uiterlijk kan ook nadelen hebben.

'We hebben elkaar toch vroeger ontmoet?' vroeg ze, een antwoord zoekend op zijn verlegen zwijgen.

Hij knikte; was nog niet tot spreken in staat.

'Kom,' zei ze nog steeds zijn hand vasthoudend. 'In mijn kantoor kunnen we rustig praten.'

Hij zeilde als een schooljongen achter haar aan. Het slanke meisje wuifde hem na. Opeens was ze maar de dienares van een grote dame.

Ze liepen door een lange gang met aan weerszijden genummer-de deuren.

'Ik wist niet dat het zo groot was,' zei hij. 'En alles nieuw.'

'Ik moest iets doen na de dood van Rik.'

Hij begreep eruit dat ze de uitbreiding gefinancierd had met de overlijdensuitkering.

'Hier is het.' Ze maakte de deur open aan het einde van de gang. Hij bleef van verbazing in de opening staan... Het was een ruime kamer met een panoramisch raam dat uitzicht gaf op de Leie. Er was een bureau met heuse pc-combinatie, een zithoek en een kleine bar; alles in modieuze design. Aan de muur litho's waarvan hij er enkele meende te herkennen: Dali en Mara.

'Mooier dan het bureau van de grote baas bij Martins.'

'Ik heb vier meisjes voltijds in dienst en de boekhouding doe ik zelf.'

'Op school geleerd?'

Ze lachte. 'Ik ben een *selfmade woman*. En meester Vercruysse helpt waar nodig.' Ze wees hem een zitje aan. 'Wat zal ik voor je inschenken?'

'Wat drink jij?' De vertrouwelijke je-vorm was spontaan.

'Gin-tonic.'

'Voor mij ook.'

Hij kon haar onbevangen gadeslaan terwijl ze de drankjes bereidde... Ze droeg een strakke jeanspantalon die haar figuur goed deed uitkomen; de schoenen met hoge hak maakten de benen nog langer. De bloes was wit en ruim, hoog dicht aan de hals en met lange brede mouwen... Haar handen bewogen snel en efficiënt, met lange nagels als vurige tongen. Maar het was vooral het gezicht dat hem boeide... Hij vroeg zich af waarom... De tint was lichtbruin; niet het gevolg van zonnebank of crème, maar natuurlijk; kenmerk van het mediterrane ras. Het haar kastanjebruin; halflang, dansend op de schouders terwijl ze heen en weer liep. Neus en mond waren klassiek van vorm en de wangen vertoonden onder de jukbeenderen de lichte uitholling die een gezicht zo intrigerend maakt. Maar het waren vooral de groene ogen die zo fascinerend vreemd de aandacht trokken in het anders zo zuiderse gezicht.

'En...?' vroeg ze terwijl ze de drankjes neerzette.

Hij begreep de uitnodiging van het vraagteken niet.

'Hoe denk je over mij?'

Hij kleurde rood.

'Als een man een vrouw bekijkt, denkt hij toch iets? Of niet?' Ze legde geruststellend haar hand op zijn arm. Precies hetzelfde gebaar als het meisje van de Amigo. Hij vond opeens zijn zelfzekerheid terug.

'Je bent in levenden lijve de beste reclame voor je zaak.'

'Blij dat te horen van een knappe jongeman. Gezondheid.'

Hij wist dat ze na de eerste slok tot het doel van zijn bezoek moesten komen. Ze had het blijkbaar ook zo begrepen. Telefonisch had hij haar een en ander verteld...

'Je wou me iets vragen over Roger Feys,' zei ze toen ze het glas had neergezet. 'Vreselijk, hé... Jij hebt hem gevonden, vertelde Bert me.'

'Bert Schepers?'

'Was de beste vriend van Rik en is peter van mijn zoontje.'

'Ja, een jaar na het overlijden van je man wordt Roger vermoord. Ik vroeg me af of er geen verband bestaat tussen beide...' Hij zocht het juiste woord. '...Tussen beide overlijdensgevallen.'

Haar groene ogen sperden zich open, haar lippen bewogen, maar ze zweeg.

Hij moest nu wel verder gaan. 'Ik ben er namelijk achter gekomen dat Roger Feys een misdaadverhaal aan het schrijven was. Er doet zich een arbeidsongeval door elektrocutie voor, maar een jaar later gebeurt er iets anders waardoor moet blijken dat de elektrocutie geen ongeval was, maar wel misdaad.'

'En wat gebeurt er?'

'Dat Roger zelf wordt vermoord.'

'Maar in het boek...?'

'Weet ik niet. Hij moest nog verder schrijven.'

Ze dronken beiden bedachtzaam.

'Waarmee kan ik je helpen?' vroeg ze zacht.

Hij wist het niet meer... Hij was hierheen gekomen met het vaste voornemen om de koketterende Betty eens duchtig aan de tand te voelen. Zonder omwegen, recht op de vrouw af. Hij zou haar vragen of ze zich realiseerde dat haar lichtzinnig gedrag aanleiding gaf tot roddel. Dat er zelfs gefluisterd werd dat de dood van haar man haar goed uitkwam. Dat het vermoeden van... Zodra hij echter oog in oog met haar kwam te staan, stortte zijn vastbeslotenheid ineen. Het kon immers niet dat zo'n elegante en intelligente vrouw tot zulke dingen in staat was... Kijk maar wat ze al gerealiseerd had. Niet het werk van een domme gans.

'Ik weet wat men over mij vertelt,' zei ze ten slotte. 'Ik heb geleerd dat men voor een knappe vrouw veel strenger is dan voor...' Ze zocht naar woorden. '...Dan voor een meisje waar niemand naar omkijkt.'

In het panoramische raam werd het landschap almaar grijzer. Er was dichte mist voorspeld.

'Ik begrijp je,' zei hij. Als antwoord legde ze opnieuw haar hand op zijn arm.

'Het is toch de taak van de politie om... om de dader te zoeken?'

'Juist, Betty. Maar voor een politieman is het niet eenvoudig om uit te zoeken hoe een jaar geleden een arbeidsongeval is gebeurd. Inspecteur Toets heeft me gevraagd hem daarbij te helpen; ik was toen juist in dienst bij Martins.'

'Je hebt me toen gecondoleerd... Ik weet het nog. Maar denk je heus dat er bij dat ongeval...?' Ze sloeg de handen voor het gezicht. 'Ik mag er niet aan denken, Wim.'

'Bert Schepers heeft toen je man gevonden?'

Ze knikte met de handen nog steeds voor het gezicht.

'Men roddelt...' Hij aarzelde of hij het zeggen mocht. '...Dat Schepers toen vriend aan huis was en dat...'

Ze keek hem opeens strak aan. De groene ogen fonkelden. Hij stopte zijn woorden. 'Luister, Wim. Ik zal eerlijk zijn. Je hebt gezien hoe ik mijn zaak uitgebouwd heb. Rik was elektromonteur bij Martins. Ik heb er me nooit voor geschaamd, maar professioneel had ik het toen al verder geschopt dan hij. Vele interessante mannen deden me allerlei voorstellen; ik kon een grote stap vooruit zetten als ik wilde, maar ik bleef Rik trouw. Tot op de dag van vandaag. Ik zal niet eeuwig weduwe blijven, maar de ene elektromonteur inruilen voor de andere... Nee.' Ze bleef hem aankijken. 'Geloof je me, Wim?'

Hij knikte. Ze glimlachte. Nam nu voluit zijn hand.

'Ik zal nog eens nadenken over wat er toen precies is gebeurd. Misschien schiet er me iets te binnen. Waar kan ik je bereiken?'

Ze noteerde zijn gsm-nummer; nam opnieuw zijn hand.

'Mag ik je ook bellen als ik me eenzaam voel?'

Ze kneep in zijn vingers. Hij boog vorover en kuste haar wang.

'Nog een drankje?'

'En u wilt opnieuw onderzoeken hoe het elektrocutieongeval gebeurd is?'

Vakbondssecretaris Peeters viel met de deur in huis. De ober van café Belfort had nog niet de gelegenheid gehad om de bestelling aan te nemen.

'Goedemiddag heren.'

'Voor mij een witteke,' zei Peeters.

Albers hield het bij een perrier; na de twee sterke gin-tonics van Betty leek hij te zweven.

'We hebben toen duidelijk ons standpunt uiteengezet. Alle vakbonden waren het erover eens: de directie was fout. We verzetten ons tegen het alleen en afgezonderd werken. Hadden ze dat karwei met z'n tweeën gedaan dan was er veel kans dat Rik Bauwens nu nog in leven was.'

Albers had de oeverloze discussie daarover meegemaakt. Hoe kon hij zonder al te veel argwaan te wekken de vakbondsman duidelijk maken dat het dit keer over iets anders ging?

'Ik ben begonnen met het schrijven van een misdaadroman,' loog hij, 'en wil dit ongeval gebruiken als een gecamoufleerde moord.'

'Da's eenvoudig. Zoals ik al zei... U laat ze met z'n tweeën werken en na de controle of de stroom afgeschakeld is en er dus veilig kan gewerkt worden, laat u een van beiden naar het toilet gaan, maar in plaats daarvan schakelt hij de stroom opnieuw in.' Op de verbaasde blik van Albers voegde hij er als een soort verontschuldiging aan toe: 'In de vakantie lees ik thrillers. Van inspecteur Morse heb ik ze allemaal gelezen.'

Albers deed of hij het leuk vond... 'Maar dan is het meteen duidelijk wie het gedaan heeft en dat is niet de bedoeling.'

'Er kan een derde bijkomen, of een vierde... of nog meer... Maar als u mijn mening wilt weten, ik geloof niet dat het een goed misdaadverhaal wordt. Een dodelijk arbeidsongeval wordt onderzocht van A tot Z.'

'In het geval van Rik Bauwens werd de hypothese van misdaad nooit gesteld?'

'U was er toen ook al bij... Waarom zou het wel gebeurd zijn? De feiten waren duidelijk: Bauwens had zich van cabine vergist.'

'Hij was lid van het Comité voor Preventie en Welzijn en wist dus alles van veiligheid af.'

'Wie durft te zeggen dat hij nooit verstrooid is...? De moord op Roger Feys lijkt me een betere start voor een misdaadverhaal. Met veel roddel...' De handbeweging van Peeters maakte duidelijk hoeveel geruchten er al rondliepen.

'Roddel?' Albers speelde de verbaasde onschuld.

'Kom, we zijn geen kinderen meer. U weet best wat er allemaal verteld wordt.'

'Ik ben na de ontdekking van de moord niet meer op het bedrijf geweest. Verboven vond het beter zo.'

'Gelijk heeft hij. Het is een pijnlijke situatie voor u.'

'Wat wordt er verteld? Ik zou het graag weten. Echt.'

'Is het daarvoor dat u me hier hebt laten komen?'

Albers knikte; ieder woord kon het gesprek weer de verkeerde kant opsturen.

'U weet, Albers, dat ik het altijd goed met u heb kunnen vinden. Niet dat we daarom altijd akkoord gingen... en dat hoefde ook niet. Wat ik ga zeggen is dus wat ik hoor en niet wat ik denk.' Peeters was duidelijk niet op zijn gemak.

'Als ik nu eens zou zeggen wat ik denk dat er gezegd wordt...?'

Peeters protesteerde voor de vorm, maar de ontspanning was al te zichtbaar.

'Men vertelt dat ik de homovriend van Roger Feys was...' begon

Albers. Peeters maakte geen bezwaar. 'En dat de vroegere vriend jaloers was en daarom Roger gedood heeft. Een passionele moord... Juist?'

'Ik ben zelf tolerant voor zulke dingen. Ieder zijn aard. Niemand heeft zichzelf gemaakt.'

'Maar het omgekeerde wordt ook gezegd?'

'Het omgekeerde?' De vraag leek oprecht te zijn.

'Ja, dat ik jaloers was en dat ik Roger zou vermoord hebben. Iedereen weet ondertussen wel dat ik de laatste persoon ben die Roger levend heeft gezien. De onbekende moordenaar uitgezonderd... Maar die twee personen kunnen één en dezelfde zijn.'

Peeters schudde zijn hoofd. 'U zou geen vlieg kwaad doen. U bent eigenlijk te zacht voor het bedrijfsleven. Sorry, dat ik dat zomaar zeg.'

'U bedoelt dat ik beter mijn ontslag kan nemen bij Martins?'

'Het komt nooit meer goed voor u, wat ook de afloop van de zaak Feys moge zijn. Wie eens in opspraak is gekomen...'

'Ik denk er heel anders over en zal bewijzen dat Roger...' Hij bedacht opeens dat hij tot nu toe niets kon bewijzen. Het misdaadverhaal van Roger kon gewoon fictie zijn en niet een reconstructie van de realiteit. Om inspecteur Toets te overtuigen van zijn thesis had hij méér nodig dan speculaties... Peeters wachtte gespannen op de rest van zijn betoog... 'Dat Roger vermoord is omdat hij iets ontdekt heeft in het bedrijf.'

'Iets?'

'Bedrog... Of dat een ongeval toch een moord was.'

'Leest u ook veel thrillers?'

Albers begreep dat verder praten over misdaad geen zin had. Peeters blijkbaar ook.

'En wat de staking aangaat...' begon de vakbondsman.

Het was gedaan met zweven. Hij zakte neer op een stoel. De vijftig meter lopen tussen beide cafés was hem bijna te veel geweest. Zijn benen waren als van lood, zijn hoofd een zwaar vat vol vraagtekens. Waar ben ik aan begonnen, vroeg hij zich af.

***

Toets heeft me duidelijk gemaakt dat ik verdachte nummer één ben in de moord op Roger Feys. Ik wilde zelf mijn onschuld bewijzen. Het leek eenvoudig... Uit de geschriften en notities van Roger heb ik een hypothese opgebouwd die mits enig speurwerk gemakkelijk hard te maken zou zijn. Het volstond terug te keren naar het ongeval door elektrocutie. Daar ben ik nu nog van overtuigd. Maar het is niet zo eenvoudig als eerst gedacht. Was het niet beter geweest inspecteur Toets in vertrouwen te nemen? Hem gewoon alles te vertellen? Hem de papieren van Roger te geven? In plaats daarvan heb ik mij verstopt... Als het gesprek met ingenieur Delrue niets oplevert zal ik morgen met de inspecteur contact opnemen... Waar blijft Delrue trouwens? Het is al tien over zeven.

Hij verscheen net in de deuropening; zwaaide naar Albers.

'Sorry dat ik wat laat ben.'

'Wat wil je drinken?'

'Trappist tripel.'

Albers vroeg een espresso in het geloof dat koffie de geest helder houdt.

'Ik ben al jaren niet meer in de Bellevue geweest,' zei Delrue nieuwsgierig rondkijkend. Ze zaten in een hoek; andere klanten vijf meter ver af.

'Al nieuws over de zaak Feys?' fluisterde Delrue overdreven geheimzinnig.

Albers had hem telefonisch iets in die richting gesuggereerd.

'Inspecteur Toets is ervan overtuigd dat het motief van de moord te zoeken is in het zogezegde elektrocutieongeval van Rik Bauwens en hij heeft me gevraagd om daarover alle gegevens te verzamelen.'

Delrue knikte begrijpend. Het viel Albers eens te meer op dat mensen lichtgelovig zijn als er maar sensatie mee gemoeid is.

'Alstublieft heren; Trappist en espresso.' Albers betaalde meteen.

'Welk verband is er?' vroeg Delrue gretig toen de ober weg was.

'Dat moeten we uitzoeken.'

'O, ja... Juist.' Delrue kon de ontgoocheling in zijn stem niet verbergen.

'Veronderstel even,' zei Albers... 'Ik zeg : veronderstel dat iemand de stroom opnieuw heeft ingeschakeld terwijl Bauwens aan het werk was...'

Delrue opende zijn mond, zweeg, schudde zijn hoofd en dronk een fikse slok bier.

'Wie zou het dan gedaan kunnen hebben?'

'Ik geloof er geen snars van...'

'Veronderstel!'

'Oké, ik doe mee, hoewel ik niet zie waar het ons heen brengt... Even denken... Er was in dat bewuste weekend een ploeg van ongeveer twintig elektromonteurs aan het werk op diverse plaatsen in de fabriek. Ze hadden allen een lijst van de uit te voeren werkzaamheden: wat, waar, wanneer en wie. Met de bedrijfsfiets kunnen ze vlug van het een naar het ander. Ieder van hen kon binnenkomen in de hal waar Bauwens aan het werk was.'

'Bert Schepers heeft hem gevonden?'

'Bert is voorman van de onderhoudsploeg en als zodanig was het zijn taak om een soort vliegende controle te doen.'

'Twintig man... Zoveel is dat niet.'

'Wacht, ik ben nog niet klaar... Alle ingenieurs van de afdelingen waar onderhoud gebeurde, hadden ook de lijst en ze hebben allen een loper waarmee ze overal binnen kunnen. De mensen van de veiligheidsdienst idem. En ook van de personeelsdienst... Je was er toen toch ook al bij, Albers?' Delrue realiseerde zich dat hij een flater beging. 'Sorry, ik wil hiermee niet insinueren...'

'Laat maar. Ik weet wat velen denken en sommigen zeggen... Ik was toen amper een week in het bedrijf en dan gaat alles nog langs je heen. Je verneemt feiten en hoort namen, maar niets dringt tot je door en wat later ben je alles vergeten. Dat ongeval van Bauwens is gehuld in een dichte nevel. Nu ik het bedrijf en de mensen ken zou ik een gelijksoortig feit veel intenser beleven.'

'Wat doet je denken dat iemand de stroom ingeschakeld zou hebben?'

'Feys maakt er gewag van in zijn notities.'

'In het dossier?'

'Nee, in een afzonderlijke map.'

'Dan moet je het officiële dossier raadplegen. In mijn archief zit enkel wat met veiligheid te maken heeft; Feys heeft het volledige dossier. Het moet te vinden zijn in zijn archief.'

'Er is toen nooit aan misdaad gedacht?'

'Bij mijn weten niet... Of toch. Eventjes was er een vraagteken toen bleek dat Bauwens de zekeringen aan het ene eind van de leiding al vervangen had en de elektrocutie pas gebeurd was toen hij aan het andere eind werkzaam was.'

'Toch een bewijs dat iemand ondertussen...'

'Wacht, wacht...' Delrue nam een bierviltje en tekende op de achterkant.

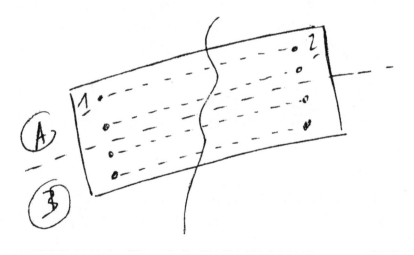

'Zie je, de cabines verdelen de leidingen van de werkhal in horizontale richting; boven en onder, zeg maar. Door cabine A af te schakelen kon Bauwens de herstelling in zone 1 veilig uitvoeren. En dan zal hij verkeerdelijk gedacht hebben dat de andere kant van de hal verbonden was met cabine B. Met andere woorden, dat de leidingen verticaal opgedeeld waren over de cabines.' Delrue trok een lijn in slangvorm door de tekening. 'Na de herstelling in zone 1 heeft hij, om te testen of alles in orde was, cabine A opnieuw ingeschakeld, en vervolgens cabine B afgeschakeld om de herstelling in zone 2 uit te voeren. Begrijp je?' Albers knikte welwillend. Van elektriciteit had hij nooit iets begrepen. 'Dat was mijn uitleg van de feiten na het opmaken van de feitenboomanalyse. En die is door alle partijen aanvaard.'

'Maar Bauwens heeft dan toch vooraf niet meer gecontroleerd?'

'Heeft hij zeker gedaan bij het begin van het werk, maar achteraf is men dan zo zeker van zijn stuk dat men het nalaat. Ik ken veel van zulke gevallen.'

'Dus je bent zeker dat het een ongeluk was?'

'Ja... Maar zoals jij het voorstelt was het inderdaad eenvoudig om de cabine in te schakelen terwijl Bauwens aan het werk was, om dan achteraf de verkeerde cabine af te schakelen volgens de regels van de veiligheid.'

'Vingerafdrukken?'

'Men werkt met handschoenen.'

'Dus mocht er misdadig opzet geweest zijn – ik zeg: mocht – dan zou dat niet meer te achterhalen zijn?'

'Ik vrees van niet... Maar was Feys niet een fanaat van thrillers en zo?'

Albers knikte noodgedwongen.

'Wie bij een hond slaapt, krijgt zijn vlooien,' lachte Delrue. 'Ik bedoel dat Feys te veel fantasie kreeg en overal misdaad zag.'

'Maar toch vermoord is.'

'Als het niet voor geld is... dan is het passie.' Delrue zweeg abrupt; besefte dat hij op gevaarlijk terrein kwam en veranderde van onderwerp. 'En hoe gaat het met de vakbonden? Krijgen we staking?'

Ik moet dat dossier inkijken. Weet waar het te vinden is in het archief van Roger. Met mijn codekaart voor de hoofdingang en een sleutel van ons kan-

124

toor is het een fluitje van een cent. Ik mag als kaderlid in mijn kantoor bui-
ten de officiële uren. Het is nu 19.55 u... De schoonmaakploeg blijft er tot acht
uur. Past precies.

Hij stapte in zijn auto en reed naar Andleie. Tien minuten later was
hij op de parkeerplaats bij het hoofdgebouw. Het busje van de schoonmaakploeg reed net weg. Hij wachtte nog enkele minuten... De mist
was ondertussen komen opzetten. Behalve de waaklamp brandde er
geen ander licht. De tijd dat medewerkers tot een gat in de nacht
werkten voor 'baas en bedrijf' was allang voorbij. Nakijken of het met
hun opties de goede kant uitging was nu een normale avondbezig-
heid. Wat hun bazen trouwens ook deden. Albers glimlachte tegen
zichzelf. Hij kon het niet nalaten dat soort bedenkingen te maken.
Zat nu eenmaal geklemd tussen de hamer van de werkgever en het
aambeeld van de werknemers. Hoewel de zaak Roger Feys nu eerder
op een duimschroef leek.

Hij liep door de verlaten gang. Bevreemdend. Hoe druk was het
hier overdag niet... Het kantoor was gesloten. Dat kon alleen Verboven gedaan hebben. In opdracht van inspecteur Toets? Wanneer hij
wegging mocht hij niet vergeten opnieuw af te sluiten.

Zijn hand zweefde boven de schakelaar. Aarzelde. Als de nachtwa-
ker net voorbijkwam dan zou hij zeker het verlichte raam zien. *So
what?* Hij was toch geen misdadiger... Het was schemerduister. Hij wist
waar het dossier zat. Lade twee. Met de neus op de etiketten gedrukt
kon hij nog net lezen... Dossier nummer 17 'Arbeidsongeval Rik Bauwens'. Zeer lijvig. Dat een mens op een ongelukkige wijze om het
leven moet komen om in de belangstelling te staan, dacht hij bitter.
Bij leven was het personeelsdossier van Rik Bauwens amper enkele
bladzijden dik. Idem het dossier van Roger Feys. Is nu ook dik aan het
worden in het archief van de politie. Soms hoor je van die astronomi-
sche cijfers. Onlangs nog over het gerechtsdossier van de zaak
Dutroux. Hoeveel tienduizenden pagina's waren het er ook weer?

Albers stak het dossier onder de arm, klapte de lade dicht en verliet geruisloos als een dief het gebouw. Hij vergat niet te sluiten.

Terug in zijn auto voelde hij opeens de honger. De mist was nu al dik geworden. Hij kon stoppen bij Frituur Alex naast de kerk... of zou hij naar de Oscar Wilde rijden? De snacks waren er voortreffelijk. Het water kwam hem in de mond als hij aan 'Salade op z'n Grieks' dacht... Zouden ze het daar al weten van Roger? Vermoedelijk wel. Als Julie en Boris het al niet in de krant gelezen hadden, dan waren er klanten genoeg om hen te vertellen van de moord. Of vrienden van Roger...

Julie wist het al. Albers zag het meteen aan haar reactie toen hij de bar binnenkwam. Ze holde hem tegemoet...

'Wim....,' zei ze en sloot hem in haar armen. Het was de eerste keer dat hij haar lichaam voelde.

Ze leidde hem naar haar privézithoekje.

'En dat jij hem moest vinden... Vreselijk.'

Hij viel neer in de stoel. 'Ik heb honger,' zei hij. 'Vandaag nog niet gegeten.'

'Salade op z'n Grieks?' Ze wist het dus nog. Hij knikte en sloot de ogen. Hier was het warm en gezellig. En Julie zou voor hem zorgen...

Hoe lang had hij gedommeld? Er stond een kom salade, een fles wijn en twee gevulde glazen klaar en Julie keek hem glimlachend aan.

'Smakelijk,' zei ze en hief toastend het glas.

'Dank je.' Er kwam een krop in zijn keel.

Ze keek toe terwijl hij at... Julie is ook zo'n vrouw, dacht hij ondertussen. Merkwaardig hoe in nog geen 24 uur vrouwen zo'n belangrijke plaats in zijn leven hadden ingenomen... Het was begonnen met Nicole Kidman van de Bar Amigo... Nee, ze heette Freya, zei ze. Niet echt, maar wel in de Amigo... Of was het eerder de dood van Roger die het hele proces in gang had gezet? Alsof met zijn afsterven een dijk was doorgebroken... Daarna was er Betty... En nu Julie... Drie vrouwen die hem vandaag als het ware uit zijn hengsels hadden gelicht; die de poort van de verliefdheid hadden opengemaakt... Hij voelde zich opnieuw sterk worden.

'Vertel maar,' zei ze.

'Waar zal ik beginnen?'

'Wacht. Mag Ivo bij ons komen? Een vriend van Roger.' Ze wees naar een jongeman die alleen aan een tafeltje zat. Pas nu realiseerde Albers zich dat er in de bar al heel wat klanten waren. Het hoekje van Julie liet echter enige privacy toe... De jongeman keek in hun richting. Opeens herkende Albers hem... Hij was toen bij Roger in de cinema. Een kans om 'Le fabuleux destin de Roger Feys' te leren kennen?

'Een vriend van mijn vriend is een vriend.'

Ze wenkte Ivo die op dat teken had zitten wachten. De jongemannen gaven elkaar de hand. 'We weten zo ongeveer van elkaar wie we zijn,' zei Ivo lachend.

'Vriend zijn van Roger is voldoende om elkaar te vertrouwen,' zei Julie als besluit van de wederzijdse voorstelling. 'En nu je verhaal, Wim.'

Hij begon met de avond van de moord. Enkel de kus verzweeg hij... Al vertellend herwon hij zijn gedrevenheid... Dat hij als verdachte zelf op onderzoek uittrok leek hem nu weer de normaalste zaak van de wereld te zijn.

'En als sluitstuk duik ik vanavond in het dossier,' besloot hij zijn verhaal. 'Morgen neem ik dan contact op met inspecteur Toets.'

Ivo en Julie hadden aandachtig geluisterd. Ze keken elkaar aan toen Albers zweeg.

'Maar de politie zoekt wel in een andere richting,' zei Julie ten slotte. 'Wij hebben ook een verhaal, maar dan wel korter.'

'En de politie volgt gegarandeerd een verkeerd spoor,' mompelde Ivo tussen de tanden.

Julie deed het relaas van het bezoek van adjunct-inspecteur Snels... 'En toen hij vertrokken was, is Boris meteen Ivo gaan opzoeken. Of hij het al wist van Roger? En dat hij zeker bezoek zou krijgen van de politie. Hij kon er zich beter op voorbereiden...'

'Is het al gebeurd?' vroeg Albers.

'Nog niet, maar op mijn gsm stond er een berichtje dat ik contact moest opnemen met de Gerechtelijke Politie.'

'Ze zijn je dus al op het spoor gekomen.'

'Bij een moord is iedere vriend van het slachtoffer verdacht.'

'En denkt men overal drek te vinden...' Ivo sprak de woorden bitsig uit. Hij leunde achterover in zijn stoel en begon als het ware tegen zichzelf te praten. 'Wat ik haat in deze maatschappij is de hang om alles naar beneden te trekken. Om alles te banaliseren, om van alles een spektakel à la *Big Brother* te maken. Achter ieder nobel gevoel zoekt men naar een passionele of winstgevende drijfveer. Roger en ik waren twee zielen in één zak zoals de volksmond zegt. We hebben elkaar leren kennen op een poëziedag in Watou met wijlen Eddy van Vliet. Het klikte meteen tussen ons. Ongelooflijk wat ik van Roger geleerd heb. Thuis was het bij mij niet veel zaaks; ouders die ieder hun eigen weg gaan, een zus die aan drugs is... Ik had toen net mijn eerste gedichten gepubliceerd. Roger werd mijn mentor, mijn leermeester en magister, mijn geestelijke toeverlaat. Drie jaar al... Maar wat de politie nu zal denken... En niet alleen zij. Mensen geloven nu niet meer dat er zoiets als een geestelijke vriendschap kan bestaan. Alles is versekst; alles wordt vlees en lichaam, klieren en afscheiding, tasten en proeven. Tussen ons was er niets van dat alles... En toch zullen ze vermoeden dat het er was. Ik voel me nu al bevuild.' Hij huiverde. 'Hoe kan ik bewijzen dat seks me afstoot? Dat ik al dat gelik en gewrijf vies vind?'

'Je hoeft niets te bewijzen, Ivo,' zei Julie zacht. 'Ieder mens heeft recht op zijn eigen seksuele geaardheid. Morgen gaat Wim naar de politie en vertelt er zijn verhaal. De inspecteur moet dan wel het spoor van het elektrocutieongeval volgen, en zo de vrienden van Roger met rust laten.'

Het was Wim Albers vreemd te moede. Had hij ook niet gedacht dat Roger er diverse seksuele partners op nahield? Maar als het allemaal platonisch bleef, hoe moest hij dan die kus verklaren?

'Heeft Roger nooit over mij gesproken?' vroeg hij bang.

'O ja; hij noemde je zijn engel. En nu ik je van dichtbij zie, begrijp ik waarom.'

Albers kleurde. 'Tussen ons was er evenmin iets,' zei hij onbeholpen.

'Toch denk ik dat hij op jou een beetje verliefd was. En eerlijk gezegd, ik was jaloers.'

'Roger was een fijne vent. Ook vrouwen kon hij charmeren.'

'We voelden het dus alle drie,' zei Ivo droevig glimlachend.

De herinneringen kwamen boven. Alle drie hadden ze een en ander te vertellen over hun dierbare overleden vriend...

'O, het is al over tienen,' zei Albers opeens geschrokken. 'Sorry, maar ik wil vanavond dat dossier nog bestuderen.'

Hij nam haastig afscheid. Reed in de dichte mist naar de flat van zijn vriend Jef.

De gsm in zijn binnenzak rinkelde toen hij de deur achter zich dichttrok. Het was 22.15 u. Even dacht hij: laat maar... Tot hij opeens Betty hoorde zeggen: *als ik me eenzaam voel*... Hij drukte op het groene telefoontje.

'Met Wim Albers...? U spreekt met Jos Bbbuysse.'

Hij wist niet meteen wie het was. 'Jos Buysse?' klonk zijn vragende echo... Het stotteren zette zijn geheugen op scherp. Opeens wist hij het: de manager van de afdeling informatica bij Martins NV.

'De echtgenoot van mevrouw Bauwens?'

'Ppprecies. Dddaarom bel ik.'

Met stotterende mensen een gesprek voeren is moeilijk. Na het decoratiefeest had hij het daarover met Roger gehad. 'Pluk ze nooit de woorden uit de mond,' had hij geadviseerd. 'Dat maakt ze alleen maar zenuwachtiger waardoor ze nog meer gaan stotteren. Je moet gewoon geduldig luisteren tot hun strompeltocht ten einde is. Het enige wat je in zo'n geval mag doen is een tussenzinnetje – een 'passerelle' – aanreiken waardoor ze een sprong in hun verhaal kunnen maken.'

De raad van Roger indachtig voerde hij aldus het gesprek. Toen hij op het rode telefoontje drukte kon hij de volgende resumé maken: Jos Buysse wenste hem dringend te spreken. Nadat hij van zijn vrouw het verslag van hun gesprek had gehoord, hadden ze onderling overleg gepleegd. Kort voor Rik geëlektrocuteerd werd had hij aan zijn zus (eerst mevrouw Feys, daarna mevrouw Buysse) enkele privéconfidenties gedaan. In de fase van het onderzoek over het arbeidsongeval hadden ze het niet aangedurfd om hiermee naar buiten te komen. Het was allemaal zo delicaat, en tegelijk zo persoonlijk. Ieder mens heeft tenslotte zijn eigen waarheid... Maar nu bleek het nodig te zijn om de bekentenissen van Rik Bauwens openbaar te maken. Jos Buysse dacht dat ze, gezien de omstandigheden, dit het best konden doen via Albers. Hij had daarvoor toestemming van zijn vrouw gekregen. Nu kwam het bijzonder goed uit dat hij vanavond in Walle een vergadering met informatici had. Jos vroeg of hij hem vanavond nog kon spreken. Liefst zonder dat ze samen gezien werden. In het parkje bij de Nieuwe Leiebrug bijvoorbeeld. (Het kwam Albers goed uit: vijf minuten lopen.) De vergadering was net afgelopen. Hij dronk nog een pint met de collega's. Over een kwartier?

Albers zei 'ja' en had er achteraf spijt van.

Hij stond er op tijd.

Het kleine park bij de brug was nog in de aanvangsfase. Vorige herfst aangeplant nadat de nieuwe brug was opengesteld voor het verkeer. Minister Steve 'Stunt' Stevaert had eigenhandig het lint doorgeknipt. Als zoveelste bewijs dat mobiliteit een *conditio sine qua non* was voor een samenleving in de 21ste eeuw. De minister zei het evenwel zonder de mondvol Latijn. 'Ons lichaam moet zo beweeglijk worden als onze geest,' peroreerde hij tijdens de openingstoespraak. In de plaatselijke krant had een journalist (van de oppositie) er een parafrase op gemaakt. 'Onze keel moet zo vlug slikken als onze goesting geprikkeld wordt.' Dat minister Stevaert ooit cafébaas was geweest, wist heel Vlaanderen.

Terwijl Albers stond te wachten overvielen hem vragen... Hoe wist Jos Buysse zijn gsm-nummer? Hij had de personeelslijst van Martins NV met alle gegevens... Waarom belde hij nu? Hij kon zich voorstellen dat mevrouw Bauwens hem na hun overleg gezegd had dat zij het ook niet meer wist en dat hij maar moest beslissen; hij werkte tenslotte bij Martins NV... Dat hij tijdens de vergadering tot het besluit was gekomen dat het (met de nieuwe kijk op het arbeidsongeval) toch beter was om alles mede te delen, en liever aan Albers dan rechtstreeks met de politie te worden geconfronteerd. Dat kon later nog altijd... Albers verloor zich in vele gissingen.

De mist was nog dichter geworden. Om goed zichtbaar te zijn had hij post gevat onder de lantaarn vlak bij de afrit aan de brug waarover Buysse normaliter moest komen. Hoe veraf was het volgende lichtpunt, vroeg hij zich af. Dertig meter? In de witte mist leek het op een gloeilamp die niet eens hel genoeg was om de grond te verlichten. Er kwamen nagenoeg geen auto's over de brug. Buysse zou zeker vertragen om te kunnen stoppen op de korte oprit. De mist maakte de wereld niet alleen kleiner, maar ook stiller. Geluiden spraken sterker... Zoals de looppas van een jogger in het parkje. Hij moest dichterbij komen. Opeens werd hij zichtbaar onder de dichtbij gelegen lantaarn. Hij was in het rood; met een pet op. Zijn tred was veerkrachtig. Albers deed een stap vooruit naar de Leie toe om hem doorgang te verlenen. De jogger was er opeens. Te laat zag Albers hoe hij zwaaide met een knuppel. De klap was geweldig; de loden pijp verbrijzelde de schedel. Hij viel voorover, een kleine duw met de voet was genoeg om hem als vanzelf in het water te laten rollen.

De zachte plons beroerde amper de stilte.

INSPECTEUR JAN TOETS

Dit is het onderdeel van zijn job waar hij het meest tegen opziet: lijkschouwing. Vooral wanneer hij de persoon in levenden lijve heeft gekend. Dan moet hij, vooraleer met het stoffelijk overschot te worden geconfronteerd, in zijn hoofd een knop omdraaien. Zichzelf bepraten... Wat ik nu zie is niet een mens, maar een ding. Niet Wim Albers, maar zijn meest intieme jas. Ik kijk naar verpakking. Bij Roger Feys ging het vlotter; hij had hem voordien nooit ontmoet.

Hij kijkt neer op het frêle naakte lichaam. Voelt de zwijgende aanwezigheid van de lijkschouwer achter zich.

'Hoe is hij gestorven?'

'De klap was dodelijk.'

Toets is opgelucht... Een fractie van een seconde en het was gedaan. Terwijl sterven door verdrinking...

'Wanneer?'

'Tussen woensdagavond en donderdagmorgen.'

Wat heeft de jongeman gedaan na zijn vertrek uit het studententehuis? Als hij dat kan achterhalen zal hij het motief en de dader dicht naderen.

'Niets gevonden dat enige aanwijzing kan geven?'

'De kleren zijn in het lab. Naar ik vernomen heb was er niets in de handen of onder de vingernagels te vinden. Het wapen was vermoedelijk een loden pijp.'

Toets knikt, wacht op méér uitleg.

'Bijna zeker een man, gezien de kracht waarmee de klap werd toegediend,' vervolgt de lijkschouwer.

'En half van achter?'

'Na twintig jaar weet ik het onderhand wel,' zegt de dokter zacht. 'Typisch een geval waarbij het slachtoffer van achteren benaderd wordt, maar in die allerlaatste fractie als het wapen al aan het neerkomen is, voelt hij de dreiging en kijkt achterom...'

'Pijn?'

'Als het zenuwcentrum meteen geraakt is... Een kip zonder kop kan nog weghollen, maar pijn...? Nee.'

'Waar is Wim Albers nu, Doc?'

'Het antwoord van de medische wetenschap kan alleen zijn: niet meer op deze aardbol... Nog iets, Toets?'

Hij schudt het hoofd. Hoort hoe gummischoenen wegtjirpen. Hij is nu alleen... met een ding... Wim Albers is uit het niets geboren door de copulatie van een man en een vrouw. Is hij opnieuw in het niets vergaan? Een vraag die hem overvalt telkens als hij met de dood wordt geconfronteerd. Godsdienst is niet zijn *cup of tea* maar het einde van een mens roept dwingende vragen op. Vanwaar? Waartoe? Waarheen? Voor zijn vader zaliger was het antwoord eenvoudig. Althans toen hij zo oud was als zijn zoon nu. Geboren aan het einde van de Tweede Wereldoorlog, groeide hij op in het geloof van een opgedeeld hiernamaals: hemel, hel en vagevuur. Die laatste verblijfplaats brokkelde als eerste af. Wie gelooft nu nog in een transitverblijf met de bijhorende commercie van aflaten en zo? De boekhouding van aardse bedrijven is al zo complex; laat staan die van een hiernamaals. De aftakeling van hemel en hel volgde kort daarop. De hel bestond eenvoudig niet, of was althans niet te verzoenen met de parabels van de goede herder en van de verloren zoon. En de hemel? Is het niet onze opdracht om hem in het 'hiernumaals' te realiseren?

Jan Toets glimlacht tegen zichzelf. Ook zijn vader begon allengs te twijfelen aan de hem aangeleerde waarheden. Maar hoe moeilijk had hij het niet gehad om iets overboord te gooien... En wat kan hij nu als vader aan zijn zoon Lucas onderrichten...? Hij weet het niet meer... Maakt een kruisteken en gaat weg. Ook zoiets, denkt hij; een gewoonte uit de kindertijd die aan hem kleeft.

Hij moet zich reppen; onderzoeksrechter Aernout wacht. Toets is benieuwd hoe hij zal reageren op de dood van Wim Albers.

Hij is zijn gesprek met Aernout aan het voorbereiden als een lichte klop op de deur hem doet opschrikken.

'Ja...?'

Nelly steekt haar hoofd naar binnen. 'Mag ik even...?' Ze staat al in zijn kantoor.

'Ik moet zo meteen naar Aernout.' Hij ziet opeens dat haar ogen rood en gezwollen zijn. Niet meteen de guitige Nelly.

'Juist daarom.'

Hij wijst haar een stoel aan. Ziet nu ook dat ze zich als het ware totaal verbergen wil. In donkergrijze pantalon en dito trui met rolkraag en lange mouwen. Heel anders dan de luchtig mouwloze jurkjes die ze doorgaans draagt 'omdat het zo heet is in de burelen'.

'Ik heb vannacht geen oog dichtgedaan,' zegt ze verontschuldigend en wijst naar haar ogen.

'Heeft het met Aernout te maken?' vraagt hij zacht.

'Je weet het?'

Och, hij weet niets met zekerheid, maar hij zou geen goede detective zijn als hij bepaalde kentekenen niet zag... Veel meer dan vroeger liep ze naar de vleugel van het gebouw waar Aernout huisde. Enkele keren was hij haar kantoor binnengekomen toen ze met Aernout aan het telefoneren was... en niet zakelijk. Waarom had ze zich kandidaat gesteld voor de vervanging van Aernouts secretaresse die weldra met pensioen ging? Ze werd er financieel niet beter van... Van de onderzoeksrechter was bovendien bekend dat hij een rokkenjager was... Dus...

'Eerlijk gezegd, weet ik daar het liefst zo weinig mogelijk over.'

'Ook niet als het te maken heeft met het onderzoek?'

'Met de moord op Feys?'

'Met wat er gebeurt in Residentie Leieboorden.'

Hij kijkt op zijn horloge. Negen uur. Aernout wacht. Ze ziet zijn ongeduld.

'Ik zal kort zijn, Toets... Sinds drie maanden heb ik een intieme relatie met Aernout. We ontmoeten elkaar op 1A in Residentie Leieboorden. Je weet nu hoe dat gebeurt. Aernout is doodsbang dat de klantenlijst van de rendez-vousflat openbaar wordt gemaakt. Eerst begreep ik niet waarom. Met de moord had hij niets te maken en hij heeft altijd beweerd dat het slechts tijdelijk was dat we elkaar stiekem moesten ontmoeten. Tot hij alles geregeld had met zijn vrouw... Als het eenmaal zover was, zouden we gaan samenwonen. Later misschien trouwen... Ik was zo dwaas hem te geloven, Toets.'

Hij kent nu al het bizarre gedrag van zijn secretaresse. Voor de job is er geen betere te vinden, maar haar amoureuze leven is op z'n zachtst gezegd nogal wispelturig. Hoewel Nelly intelligent is, gelooft ze als een naïeve puber alles wat een man die zegt verliefd te zijn, haar op de mouw speldt. Lichtzinnig is ze niet, ze meent het altijd goed, maar ze is wel overdreven romantisch. Ziet te veel stroperige films en droomt weg in romannetjes van de 'Bouquet Serie'. Een *Madame Bovary*, denkt Toets.

'Je kent toch zijn reputatie?' Hij heeft spijt van zijn woorden. Dat is zout in de wonden strooien. De tranen komen haar in de ogen. Ze slikt even. Hij wrijft haar over de hand. 'Ga verder.'

'Het belangrijkste is gezegd. Maar het is om die reden dat hij niet wilde dat er verder onderzoek gebeurde in de residentie. Maar als je denkt dat het nodig is voor het onderzoek... Het is maar dat je het weet. Zeker na wat er vanmorgen in de krant staat.'

'Wat dan? Ik heb er nog geen gezien.'

'Je zult het wel horen.'

'Je bent verdomme tien minuten te laat, Toets... Hier; dat al gelezen?' Aernout schuift een open krant naar de inspecteur toe.

Toets weet dat Aernout niet van de vriendelijksten is, maar zo grof is hij zelden. Dat krantenartikel moet hem danig dwarszitten.

'Sorry, Aernout, voor het te laat komen, maar ik moest nog een personeelsprobleem afhandelen.'

'Zo dringend?'

'Het ging om... ja, hoe zegt men dat in juridische termen... Ongewenst seksueel gedrag.'

'Met Nelly?' Aernout veert op uit zijn stoel.

'Ze is mijn enige vrouwelijke medewerkster.'

'Wie is de snoodaard? Snels? Linders?'

'Er zijn nog meer mannen in het gebouw van de Gerechtelijke Politie.'

'Kan ik iets doen? Praten met Nelly...?'

'Ze had het al zo moeilijk om het mij te vertellen. Laat staan aan een onderzoeksrechter.'

Aernout gromt. Toets geniet van zijn binnenpretje.

'Lees maar.' Aernout slaat met de vlakke hand op de krant.

De titel van het artikel is gewild provocerend. *Beschermt het gerecht zichzelf?* Waaronder een foto van Residentie Leieboorden. De tekst 'van de medewerker ter plaatse' luidt als volgt:

Wie oog in oog komt te staan met Residentie Leieboorden kan zich moeilijk voorstellen dat hier enkele dagen geleden een brutale moord is gepleegd. Maandagavond werd in een flat op de derde verdieping de heer Roger Feys met verscheidene messteken om het leven gebracht. In vorige edities hebben we hier uitvoerig over bericht. Rond deze moordzaak is het nu zeer stil geworden. We hebben er begrip voor dat, om het gerechtelijk onderzoek sereen te laten verlopen, niet lukraak mededelingen kunnen worden gedaan. Maar toch... Het publiek heeft recht op informatie.

Om die reden zijn we eens gaan neuzen in en rond Residentie Leieboorden.

Op de benedenverdieping is de flat van het conciërge-echtpaar. Geen onvriendelijke lui, maar de privacy van de bewoners moet gerespecteerd worden en in opdracht van de politie mogen ze geen verklaringen doen.

Een rondgang in het flatgebouw bracht evenwel een en ander aan het licht. (Omwille van de discretie duiden we de bewoners met een code aan.)

Bewoonster 3B verklaarde dat ze haar overbuur Roger Feys, wonend op dezelfde verdieping, een gedistingeerd man vond; geen prater, maar charmant. Persoonlijk had ze geen contact met hem. Maar dat zo'n man vijanden kon hebben... Nee, dat leek haar onwaarschijnlijk.

Dame 2B noemde zichzelf een vriendin van Roger Feys. Uit eerbied voor zijn nabestaanden was ze karig met commentaar.

Mijnheer 2A was wel mededeelzaam. Hij vond het een schande zoals de politie te werk ging en zei onder meer... 'Het is allang bekend dat in dit gebouw een flat per uur verhuurd wordt. Uiteraard voor buitenechtelijke avonturen.... Wie hier komen? Het is niet mijn zaak, maar ik weet dat er heel wat notabelen onder het cliënteel zijn, ook magistraten. En wat stel ik vast? De politie onderzoekt de zaak niet verder. Ik ben ervan overtuigd dat mijnheer Feys – voor wie ik het grootste respect had – vermoedelijk gezien heeft wie van de hoge heren een scheve schaats reed. Heeft hij chantage gepleegd? Was de hoge ome bang? Het is niet aan mij om het uit te zoeken, maar ik vind het wel kras dat de politie niet eens alle bewoners van de residentie heeft ondervraagd. Ik vind dat geen professioneel onderzoek. Tenzij andere belangen in het spel zijn...'

We weten niet in hoever deze bewoner van de Leieboorden de mening vertolkt van andere stadsgenoten. Het zou niet de eerste keer zijn dat een gerechtelijk onderzoek in de doofpot wordt gestopt uit vrees dat een magistraat in een slecht daglicht komt te staan. Zeker na alles wat we in gerechtelijke dossiers hebben meegemaakt. (ADV)

'Wel...?' vraagt Aernout.

'Puntig en levendig.'

Aernout leunt zwaar achterover in zijn bureaustoel. 'Typisch Toets. Ik vraag je mening over de inhoud en je geeft een antwoord over de vorm.'

'Over de inhoud kan ik weinig zeggen. Op uw advies zijn we gestopt met de ondervraging van de bewoners van de Leieboorden. Mijnheer 2A is uiteraard Victor Daems.'

'Dat artikel is hypocriet tot en met. Als men wil dat het onderzoek sereen verloopt, dan is dat precies het soort artikel dat men niet schrijven moet. Insinuaties tot en met.'

'Vooral de allusie op de magistratuur?'

'Ik heb het onderzoek in de residentie stilgelegd omdat je de mensen niet nodeloos moet lastig vallen. Nu Albers ook vermoord werd, is het toch duidelijk dat er elders gezocht moet worden.'

Toets bijt op zijn tanden. Dat Aernout evenzeer volhield dat Albers de moordenaar was van Roger Feys kan hij maar beter niet ter sprake brengen. Die gelegenheid komt nog.

'Luister, Toets... Je moet toch een persconferentie geven om de moord op Albers bekend te maken. Een goede gelegenheid om de pers de les te lezen. Wie is die ADV?'

'Albert de Volder, freelance medewerker van De Leiekrant. Geen kwade jongen, maar hij kan het niet laten te schoppen tegen de gevestigde waarden, of die nu van links of van rechts zijn.'

'Geef hem een uitbrander in het bijzijn van zijn collega's. Deontologie is wat anders dan sensatie.'

'Hoe meer je tegen perslui ingaat, hoe moeilijker ze doen.'

'Weet ik, Toets, maar ze mogen ook een lesje krijgen.'

'Wat zeg ik in verband met de zaak Albers? We hebben nu twee moorden.'

'Toch duidelijk dat het een passionele affaire onder homo's is. Of niet?'

'Albers was ook de adjunct van Feys bij Martins NV.'

'In een bedrijf zal het ook wel niet altijd allemaal koek en ei zijn... Maar of dat tot moord leidt? Je zat er toch ook naast met de dood van die Nobelprijswinnaar in het bedrijf Rubco...? Passie was het. Geen professionele naijver.'

Toets zwijgt opnieuw. Als een verkeerd spoor leidt tot een juiste oplossing... Mag je dan de speurder een verwijt toesturen? Columbus ging ook op zoek naar Indië... Maar met Aernout kan dat geen onderwerp van gesprek zijn.

'Je moet dat duidelijk stellen in de persconferentie, Toets. Verwijs niet langer naar Martins NV, dat ondergraaft alleen het vertrouwen in de industrie. Met Lernout en Hauspie hebben we genoeg gehad. Mijn schoonbroer die slager is... maar dat heb ik je al verteld. Zeg zeer duidelijk dat het onderzoek zal worden toegespitst op de homofiele vriendenkring van Roger Feys.'

'Ik heb daar geen enkele aanwijzing voor. Wat moeten die vrienden denken als blijkt dat hun relatie met Feys...'

'Louter platonisch was? Wie gelooft dat nu nog, Toets? We zijn méér lichaam dan geest. Of denk jij dat het anders is?'

Toets heeft het moeilijk met mensen die zwart-wit denken. Waar of niet waar? Zo eenvoudig is het niet.

'Ik zal mijn best doen, Aernout, maar wat nu het onderzoek zelf betreft...'

Hij is overtuigd dat hij er zo snel mogelijk dient achter te komen wat Albers gedaan heeft na hun gesprek op die bewuste woensdag. 'Met uw toestemming zou ik vragen dat in kranten en media, vooral in de regionale tv, gevraagd wordt dat iedereen die Albers gezien of gesproken heeft zich in verbinding stelt met de politie. Vlug succes boeken is nu belangrijk en zo krijgen we de medewerking van de media.'

Aernout is akkoord.

'Maar geef ze vooraf een goede veeg uit de pan. Ze schrijven zomaar wat ze willen.'

Toets kan niet nalaten te zeggen... 'Misschien maakten sommige magistraten gebruik van die flat in Residentie Leieboorden.'

'Het gaat niet om individuele gevallen, Toets. Het gaat om de geloofwaardigheid van de magistratuur.'

'Juist,' beaamt Toets en staat op.

'En een gesprek met Nelly vind je niet nuttig?'

'Ze is tegenwoordig weinig "manvriendelijk".'

'Ja, begrijp ik.'

Toets zucht diep als hij de deur achter zich dichttrekt.

Ook tegen persconferenties ziet hij op. Omdat hij een hekel aan dagbladen heeft? Twee jaar geleden heeft hij zijn abonnement opgezegd. Hij vindt dat het met de schrijvende pers de verkeerde kant is uitgegaan. Dat het medium televisie beelden en film voor zijn rekening neemt is nogal evident; het lag dan ook voor de hand dat het dagblad zich als een ander medium zou specialiseren in het uitdiepen van actualiteit, politiek en economie. Maar wat is er gebeurd? Dagbladen staan vol met kleurenfoto's, artikels beperken zich tot feitelijke mededelingen; commentaar en diepgang zijn zeldzaam. Het dagblad is een fotokopie van de tv-nieuwsuitzending. En het niveau van de journalisten is navenant.

Toets begint de conferentie met een kritische beschouwing over recente insinuaties die in de pers verschenen zijn. Hij noemt geen namen, maar kijkt tijdens zijn betoog steevast Albert de Volder in de ogen. Het is uiterst stil in de zaal.

De daaropvolgende mededeling van de doodslag op Wim Albers zorgt wel voor beroering. Toets moet zich alsnog beperken tot de feiten en die zijn karig... Waar het lijk opgevist werd en door wie. Dat het slachtoffer de schedel werd ingeslagen alvorens in het water terecht te komen. Dat de lijkschouwing nog gaande is. Dat er nog geen bepaald spoor gevolgd wordt...

Vooral die laatste mededeling lokt vragen uit.

Wim Albers was de vriend van Roger Feys? Moet er niet gezocht worden in homofiele kringen...?

Toets modereert de opmerkingen, maar slaat ze niet in de wind. Zo speelt hij in de kaart van Aernout. Dat Albers ook de adjunct was van Feys komt amper ter sprake. De dreigende staking bij Martins NV is daar de grote blikvanger.

De conferentie wordt echt levendig als Toets op pers, radio en televisie een beroep doet om alle gegevens over de tijdsbesteding van Albers binnen te krijgen.

'Woensdagmorgen heb ik met hem een gesprek gehad in het studententehuis waar hij verblijft. Kort daarna is hij vertrokken met onbekende bestemming. Woensdagnacht is hij overvallen en in het water gegooid. Wie hem die dag gezien of gesproken heeft, gelieve zich kenbaar te maken bij de politie.'

Toets heeft foto's van het slachtoffer bij zich. Zo'n kluif lusten de media wel. De perslui stuiven de conferentiezaal uit. Primeurs zijn hun jachttrofeeën.

'Verschrikkelijk. Eerst Feys en nu Albers.' Verboven wrijft zich over het voorhoofd. 'Zou alles dan toch te maken hebben met homofiele passie en afgunst?'

Toets zwijgt en bekijkt de man. Verboven was meteen bereid om na de persconferentie een gesprek met de inspecteur te hebben. Zijn verslagenheid is diep en oprecht. 'Wat denkt u, inspecteur?'

'Denken in een bepaalde richting is gevaarlijk omdat je dan probeert de feiten in elkaar te laten passen zodat ze kloppen met de gekozen hypothese. Maar zeg liever wat u denkt. Naast zijn moeder, waar ik vanmiddag naartoe ga, bent u een van de weinigen die Wim Albers goed gekend heeft.'

'Goed gekend is te veel gezegd. Ik vergat altijd zijn naam. Maar er is wel een gedachte die me sinds ons eerste gesprek niet heeft losgelaten...'

'Zeg maar. Ieder stukje van een puzzel is even belangrijk.'

'Het heeft te maken met een van uw uitspraken: "De volmaakte misdaad is deze die niet als een misdaad wordt beschouwd..." En hierbij denk ik aan het ongeval door elektrocutie. Toen dacht niemand aan misdaad, maar nu laat het me niet meer los.'

'U vermoedt dat Feys ontdekt heeft dat het geen ongeval was, maar wel misdaad, en dat hij dat met zijn leven heeft moeten bekopen?'

'Het idee kwam bij mij op na het onderhoud met de weduwe Bauwens en haar advocaat. Het klinkt gek, inspecteur, maar ik zit er nu eenmaal mee en ik moet het kwijt... Tracht eens mijn redenering te volgen... Veronderstel dat het geen ongeval was, maar wel misdaad. Terwijl Rik Bauwens aan het werken was heeft iemand de stroom ingeschakeld. Iemand die iets afweet van elektriciteit en die de bewuste productiehal kent. Binnen het bedrijf zijn er dat heel wat. Maar wat kon het motief van de misdaad zijn? Ik zie er maar één: passie voor Betty Craem, waarbij haar echtgenoot een sta-in-de-weg was. Ik dacht meteen aan Bert Schepers; vriend van Rik en peter van hun zoontje. Maar na het overlijden van Rik is Bert ogenschijnlijk een vriend des huizes gebleven zoals voorheen. En aanbidders heeft Betty momenteel in overvloed. Sinds ze op tv is geweest...'

'Het spoor "Bert Schepers" was dus niet het juiste?'

'Ja en neen... Toen ik Betty met haar advocaat zag, dacht ik meteen: dat zijn minnaars. En daar vergis ik me zelden in, inspecteur. Uit het gesprek bleek dat ze elkaar hadden leren kennen na het sterfgeval van Rik Bauwens; er was dus zeker geen passie vooraf. Maar toen kwam het idee... Was het mogelijk dat Betty vrij wilde zijn – duidelijk was dat ze haar man noch als minnaar, noch als broodwinner nodig had – en daarom een huurmoordenaar had aangezocht? Wie dat ook mocht zijn. Ze kende voldoende mensen bij Martins die de klus technisch konden klaren. Als beloning kreeg hij dan zijn deel van de som die ze als uitkering kreeg... Is dat niet al te zot, Toets?'

'Echtgenotes die hun man laten doden is van alle tijden. Clytaemnestra deed het met Agamemnon en in *The Postman Always Rings Twice*, een van de klassiekers van de *hardboiled* roman, gebeurt precies hetzelfde. Met dien verstande dat er in de meeste gevallen al een passionele relatie bestond tussen de echtgenote en een minnaar.'

'Voor Betty zijn daar geen aanwijzingen voor, maar het was wel duidelijk dat ze haar man te min vond. Er waren kandidaat-minnaars genoeg. Zo werd verteld dat de huisarts, de bankdirecteur... Maar nu doe ik mee aan roddel, inspecteur.'

'Hoeveel is de uitkering aan de weduwe?'

'Zowat driehonderdduizend euro.'

'Feys heeft niets van die aard met u besproken?'

'Nee... Weliswaar noemde hij Betty een kreng en na het laatste onderhoud met haar was hij des duivels. Ik herinner me nu dat hij eens zei: "Ik krijg haar wel te pakken." Maar als een man dat zegt van een sexy vrouw... Ik begreep het toen anders.'

'Misschien heeft Feys ontdekt dat een deel van het geld bij een derde is terechtgekomen en heeft dat zijn argwaan gewekt.'

'Met Albers ging hij zeer vertrouwelijk om; de kans is groot dat hij hem iets verteld heeft over zijn vermoeden.'

'Wat Albers op zijn beurt het leven heeft gekost.'

'In dat scenario moet Albers tussen het overlijden van Feys en zijn eigen dood bijna zeker contact gehad hebben met Betty.'

'Of met de moordenaar van Feys.'

'U weet best wat u te doen staat, inspecteur, maar ik zou die Betty toch eens duchtig aan de tand voelen.'

'Toch wil ik afwachten of ze al of niet reageert op de oproep in de media. Iedereen die Albers gesproken of gezien heeft, wordt verzocht zich te melden bij de politie.'

'Ik wens u veel geluk met die oproep, inspecteur.'

'In dat geval wordt het een druk weekend. Tot spijt van mijn vrouw en zoon.'

'In het weekend zijn ook de onderhandelingen van de laatste kans met de vakbonden. Ieder beroep heeft zijn kwalijke kanten, inspecteur.'

'Komen jullie eruit?'

'Er ligt een verzoeningsvoorstel op tafel. Ik heb zo het gevoel dat de grote bazen met elkaar hebben gepraat. Als de reiger neerdaalt, zwijgen alle kikkers.'

'Als ik kan ontdekken wat uw zoon woensdag gedaan heeft, dan geef ik mezelf een grote kans om zijn moordenaar te vinden.'

Voor het eerst sinds het begin van het gesprek gaat mevrouw Albers rechtop zitten.

Ze was een in elkaar geschrompeld hoopje ellende en verdriet toen ze de deur opendeed voor Toets. De plaatselijke politie had haar op verzoek van de inspecteur in de loop van de morgen op de hoogte gebracht van de tragische gebeurtenis. Ze wilde het aanvankelijk niet geloven. Vergisten de heren van de politie zich niet? De oudste rijkswachter toonde haar een doorgemailde foto van het slachtoffer, afkomstig van de gerechtelijke diensten van Walle. Hij was toch haar zoon? Toen stortte ze in elkaar. De jongere rijkswachter moest haar opvangen; droeg haar naar de canapé waarop ze als een slappe vod neerviel. Zo bleef ze liggen. Wat de rijkswachters nog meer zeiden drong niet tot haar door... Wim was dood, dood, dood... Vermoedelijk had ze evenmin begrepen dat inspecteur Toets haar nog een bezoek zou brengen; omstreeks veertien uur mocht ze hem verwachten.

Ze schrok inderdaad op uit haar verdwazing toen de bel ging. Ik doe niet open, was haar eerste gedachte, maar opeens hoorde ze de echo van de naam Toets; de inspecteur met wie ze getelefoneerd had. Ze deed toen toch maar open, al wist ze van zichzelf dat ze er ellendig uitzag. Haar ogen hadden geen tranen meer.

Ze luisterde zwijgend naar het relaas van de inspecteur. Toets wist uit ondervinding dat zo'n boodschap zeer omslachtig moest worden gebracht. Het was alsof je met woorden een verband legde op een wonde van scherp verdriet. Ze bleef nagenoeg levenloos tot bij die bewuste woorden.

'Kan ik helpen?' vraagt ze moedig.

'Misschien wel als we systematisch te werk gaan. Voelt u zich voldoende sterk, mevrouw?'

Ze knikt. Voor het eerst ziet Toets in het verwoeste gezicht van de vrouw een glimp van de delicate trekken van Wim Albers. Vooral als een zwakke glimlach even over het gezicht zweeft. 'Ik heb een gekke gewoonte, inspecteur. Al twintig jaar noteer ik elke avond wat er tijdens de afgelopen dag is gebeurd, wat belangrijk was voor mij... en veelal zijn dat de kleine dingen van het leven. Onder meer alles wat mijn zoon aangaat... Wacht, ik haal even mijn dagboek.'

Ze blijft lang weg. Wanneer ze opnieuw de kamer binnenkomt, begrijpt Toets waarom. Ze heeft zich zo goed mogelijk opgeknapt.

'Koffie?' vraagt ze.

'Als het u past, mevrouw Albers, zou ik liever meteen verder gaan... Herinnert u zich iets dat in verband zou kunnen staan met de recente misdaden? Nu we eenmaal weten wat er sindsdien gebeurd is...' Toets laat met een handgebaar de feiten in het midden hangen.

Mevrouw Albers fronst het voorhoofd. 'Denkt u aan toestanden bij Martins NV?'

'Onder andere. Het is een van de sporen die we volgen.'

Ze denkt lang na. Toets bekijkt ondertussen het interieur. Goede smaak, denkt hij. Weinig financiële middelen, maar wat er staat of hangt is verantwoord: echte antiek, artistieke litho's, harmonische kleuren.

'Hij was gelukkig in dat bedrijf en hij droeg zijn chef op handen. Ik heb nimmer een klacht of een negatief geluid gehoord. Over wie dan ook.'

'Had hij een vriendin? Of een intieme vriend? Begrijp me niet verkeerd, mevrouw Albers, ik...'

Ze wuift zijn verontschuldiging weg. 'Ik begrijp zeer goed wat u zeggen wil, mijnheer Toets. Wim was daarin zeer terughoudend, maar hij heeft relaties met meisjes gehad en ik ben ervan overtuigd dat hij op zoek was naar de ware partner... Onlangs nog zei hij: "Ik wil drie kinderen, maar ik heb de moeder nog niet gevonden..." Nee, ik zie niet in dat er langs die kant iets te zoeken is.'

'Geen passie of jaloezie?'

'Als het zo hevig was dat het tot moord kon leiden dan zou ik het geweten hebben.'

'Laten we dan beginnen met de dag van de moord op Roger Feys.'

'Maandag...? 's Morgens is Wim rond halfzeven vertrokken naar het bedrijf. Hij wil hoe dan ook om acht uur aanwezig zijn.'

'Hij heeft 's avonds niet opgebeld ?'

'Was er dan iets speciaals?'

'Hij was die avond op de flat van Roger tot omstreeks halfnegen.'

De draagwijdte van dat gegeven lijkt haar te ontgaan want ze knikt instemmend. 'O, ja, dat heeft hij me gezegd toen hij de volgende dag belde en vertelde wat er met Roger gebeurd was en hoe hij het als eerste had gezien. En ook dat hij een gesprek had met inspecteur Toets. Ik vond het goed dat mijnheer Verboven hem vrijaf gaf om te bekomen.'

'Wat zei hij precies over ons gesprek?'

'Dat hij gewoon alles verteld had zoals het gebeurd was. Wim loog trouwens nooit.' Even krijgt ze het moeilijk; veegt met de vlakke hand over haar ogen. 'Sorry,' glimlacht ze.

'En de volgende dag? Woensdag.'

Ze raadpleegt haar dagboek... 'Rond de middag heeft hij opgebeld. Het was een rare telefoon. Hij zei dat hij op verzoek van inspecteur Toets enkele zaken moest onderzoeken in verband met de moord op zijn baas en dat hij daardoor genoodzaakt was enige verplaatsingen te maken. Ik mocht dus niet verbaasd zijn als hij 's avonds niet in het studententehuis was... Aanvankelijk vond ik dat niet vreemd, maar naarmate het avond werd kwamen de vraagtekens boven... Ik belde hem op maar kreeg geen antwoord. Vroeg toen aan de conciërge om hem een bericht door te geven.'

'En op zijn gsm?'

'Was hij evenmin bereikbaar. Het gaf me een raar gevoel, en ik sliep slecht die nacht. Toen ik donderdag opbelde kreeg ik u aan de lijn, inspecteur.'

'Ja, en ik zei dat u zich geen zorgen hoefde te maken... Helaas; ik wist evenmin dat het fatale toen al gebeurd was... Heeft hij iets gezegd over de zaken die hij wilde onderzoeken?'

Ze kijkt opnieuw in haar boek. 'Hij zei dat hij een elektrocutieongeval dat een jaar voordien gebeurd was, opnieuw moest onderzoeken.'

'Niets méér? Geen bijzonderheden?'

'Nee, inspecteur.'

Er valt een lange stilte. Opeens begint mevrouw Albers te snikken. Toets staat op en legt zijn hand op haar schouder. 'Mevrouw Albers, ik kan u uw zoon niet teruggeven, maar ik zweer dat ik zijn moordenaar zal vinden.'

'Jammer dat ik u maar zo weinig kan helpen.' Ze huilt meer dan ze praat.

'Als u nog iets te binnen schiet, laat het me weten... Misschien mag een koffie nu...'

Ze neemt de gelegenheid om de kamer uit te gaan graag te baat.

Lucas gooit zich in de armen van zijn vader als Toets thuiskomt. Het gebeurt zelden dat hij voor zes uur thuis is.

'Hoe loopt het?' vraagt Miet.

Hij geeft een kort verslag van de gebeurtenissen van de dag. Lucas, pas vijf, luistert aandachtig mee. Wat Toets verplicht om zijn woorden zorgvuldig te wikken. Het kind begrijpt al dat het zijn vaders job is om 'stoute mensen' te pakken en ze achter slot en grendel te zetten tot ze weer braaf zijn. Maar die stoute mensen lopen weg en verbergen zich. Hij moet ze zoeken en vinden... Als Lucas eenmaal in bed ligt, zal hij aan Miet een uitvoeriger relaas van zijn belevenissen en vermoedens geven.

'Vanavond zal men in de nieuwsuitzending vragen dat wie enige informatie kan geven over Wim Albers, zich bij de politie wilt melden. Vooral de dag van woensdag is belangrijk.'

'Verwacht je er veel van?'

'Eerlijk gezegd, Miet, is het mijn laatste kans. Van elf uur 's morgens tot 's avonds laat kan Wim Albers niet in rook zijn opgegaan. Die tijdspanne zal hij niet in zijn eentje hebben doorgebracht.'

Na het eten kijken ze met z'n drieën naar het nieuws; eerst op WTV, daarna op beide netten van de openbare omroep. 'Mag Lucas al meekijken?' is een vraag waarover ze lang hebben nagedacht. Uiteraard bevat de uitzending bijna uitsluitend slecht nieuws: oorlog, rampen, crisis, ruzie, misdaad. Een positief bericht is uitzonderlijk... Het dagelijks journaal presenteert een overtrokken negatieve kijk op de wereld. Terwijl een kind nog alles ziet met een onbevangen blik. Toch hebben ze besloten dat hun zoontje mag meekijken. Toets gelooft dat een kind voldoende afweermechanismen heeft. Dat er af en toe een schokmoment komt, vindt hij beter dan een opvoeding onder een glazen stolp.

De berichtgeving over de moord op Wim Albers is correct en zonder sensatie. Dit keer hoeft Toets zich niet te ergeren. En de oproep komt goed over. Als het nu maar lukt, hoopt hij...

'En nu naar bed, Lucas.'

'Nog een verhaaltje, papa?'

Hij weet wat dat betekent. Enkele weken geleden heeft oma aan haar kleinzoon een kinderbijbel cadeau gedaan. Vermoedelijk gedreven door nostalgie. Zij heeft al die wonderbare verhalen als kind gehoord en geloofd... Maar de jeugd van nu? Weten die nog wie Abraham was? Niet zonder bijbedoeling heeft ze dat boek gegeven. 'Hij kan nog niet lezen, maar jij kan toch vertellen?' De suggestie was overduidelijk.

'Oké, oma, ik zal mijn best doen.'

Wat hij gedaan heeft. Weliswaar moest hij zich soms in bochten wringen om de verhalen een kind- en godvriendelijke wending te geven. Zoals bij de zondvloed. 'Verdrinkt God de mensen die slecht zijn?' vroeg Lucas. En bij het offer van Isaac: 'Zijn er vaders die hun kind doodmaken...?' De bijbel is geen leesvoer voor jonge kinderen, dacht hij toen. Het dagelijks nieuws uitleggen is gemakkelijker dan ze door het Oude Testament te loodsen. Maar Lucas was gek op de prentjes, en bij de illustraties hoort nu eenmaal een verhaal.

Hij is gekomen bij Ezau en Jakob. Het knaapje luistert aandachtig...

'Wat is eerstgeboorterecht?' vraagt hij.

'Dat wil zeggen dat bij de dood van de vader de oudste dubbel zoveel krijgt als de andere kinderen en ook de baas is over iedereen.'

Als enig kind geeft dat voor Lucas weinig problemen.

'En hij gaf dat allemaal weg voor een schotel linzen?'

'Als je echt honger hebt, dan wil je alles geven voor eten.'

Lucas behoort tot een generatie die niet weet wat honger is.

'De moeder zag liever Jakob dan Ezau?'

Toets doet alsof hij de vraag niet heeft gehoord.

'Jakob was bang voor de wraak van Ezau en vluchtte naar zijn oom Laban. Daar huwde hij met Rachel, de dochter van zijn oom.'

'Wie is de dochter van mijn oom?'

Toets breekt de gedachtegang van zijn zoon af en besluit vlug met de verzoening tussen de broers... 'Zo leek alles weer goed te zijn gekomen, maar eigenlijk was het niet zo. De afstammelingen van Jakob zijn ruzie blijven maken met die van Ezau. Daar staat de Bijbel vol van...' Lucas kijkt zijn vader vragend aan. 'En zoals je vanavond in het tv-nieuws gezien hebt, duurt het nog altijd voort. Weer een bomaanslag... Twintig kinderen dood in een bus.' Of hij met die historische extrapolatie juist zit, weet Toets niet. Maar dat de Bijbel veel wijsheid bevat, gelooft hij wel. Hij kust zijn zoon goedenacht.

'Slaapt hij?' vraagt Miet.

'Bijna... Ik heb hem uitgelegd hoe het komt dat Palestijnen en Israëli's nog altijd met elkaar vechten.'

Miet glimlacht. Ze weet dat haar Jan is zoals alle vaders die hun kinderen vroegwijs willen maken. Mijn kind, verstandig kind.

'De Bijbel vertellen aan een kind is niet eenvoudig.'

'Roodkapje en Kleinduimpje zijn evenmin lieve verhaaltjes.'

'Vertel me nu eens alles over die tweede moord.'

Toets geeft haar het relaas van de gebeurtenissen in een versie 'voor volwassenen'. Miet luistert aandachtig. Toets stelt haar commentaar en suggesties op prijs. Die hebben al geleid tot een doorbraak in menig onderzoek. Hij besluit zijn verslag met de amoureuze perikelen van Nelly, want hij weet dat Miet haar genegen is. Als overtuigd feministe is voor haar de situatie van Nelly duidelijk: een onervaren jonge vrouw die terechtgekomen is in een bij uitstek typische mannenwereld.

'Opnieuw het bewijs dat een jonge vrouw in zo'n milieu alleen maar slachtoffer kan zijn.'

'Ze is 24, Miet, en ze moet toch al weten hoe het er in de wereld aan toegaat.'

'Wie naar absolute liefde streeft, zal het nooit weten.'

Miet heeft van die uitspraken waar Toets geen raad mee weet.

'Ze kwam in ieder geval haar liefdesverdriet vlug te boven. Toen ze eenmaal begrepen had dat ze voor Aernout maar speeltuig was, heeft ze resoluut beslist er een einde aan te maken. Na die kleine inzinking stelde ze zich vrijwillig kandidaat om vanavond de telefonische oproepen te beantwoorden. Tot negen uur blijft ze aan de lijn. Dan zullen we weten hoeveel en wie gereageerd hebben... Is er niets binnengekomen, dan heb ik het weekend vrij en kunnen we naar zee.'

'Lekker wandelen langs het water, heerlijk moe worden, Lucas vertroetelen en in bed stoppen, gezellig dineren in ons geliefkoosde restaurant en daarna...' Met een suggestieve beweging van haar hand opent Miet een sensueel paradijs. Toets weet het. Als beiden ontspannen zijn, spatten de vonken uit hun liefdevol samenzijn.

'Maar als er reacties zijn op de tv-melding... dan is er werk aan de winkel en gaat het weekend aan zee niet door. Ik heb Nelly volmacht gegeven om afspraken vast te leggen, het hele weekend door. Je mag getuigen niet laten wachten; hoe vlugger, hoe méér ze zich herinneren.'

'Je gaat naar de begrafenis van Roger Feys?'

'Je kent mijn zwak voor begrafenissen.'

'Nogal luguber, vind ik.'

'Hoe méér je van het leven houdt, hoe méér je geboeid bent door het einde ervan.'

'Wat is "het leven"?'

'Leven met jou en Lucas.'

'Je had schrijver moeten worden, en geen detective.'

'Het ene kan een voorbereiding zijn op het andere. Mijn notitieboek is al goed gevuld.'

'Is er al een detective die later schrijver geworden is?'

'Bij mijn weten niet. Chandler en Hammett zijn korte tijd verbonden geweest aan een detectivebureau, maar dat stelde weinig voor. De combinatie van een vermaard speurder en een bekend misdaadauteur is mijns inziens nog niet voorgekomen.'

'Dan kun jij de eerste zijn.'

'Ik bel nu Nelly op om te vragen of er meldingen waren.'

Toets blijft een dik halfuur aan de telefoon.

'En...?' vraagt Miet.

'Méér oproepen dan ik ooit gehoopt had.'

'Ik luister,' zegt Miet gelaten.

'Als eerste was er de weduwe Bauwens, Betty Craem... je weet wel. Een belangrijke getuige, denk ik. Wim Albers heeft woensdagmiddag met haar gesproken. Diezelfde dag moet hij zeer actief geweest zijn want nog anderen hebben met hem contact gehad: mevrouw Bauwens, de ex-schoonzus van Roger Feys en de zus van Rik, het slachtoffer van het elektrocutieongeval; ingenieur Delrue, hoofd van de preventiedienst bij Martins NV; vakbondssecretaris Peeters; Julie Vanneste, uitbaatster van de Oscar Wilde, kan ook een interessante getuige zijn; Shirley Maes, animeermeisje in Bar Amigo...'

'Wim Albers lijkt het goed te doen bij de vrouwen.'

'Hoewel daar twijfels over zijn... En ook nog een oproep van de conciërge van het flatgebouw Mayfair in de Arteveldestraat. De man beweert die dag – woensdag – Wim Albers te hebben gezien in het flatgebouw.'

'Als ik goed geteld heb, zijn dat zeven oproepen.'

'Evenzoveel ondervragingen in anderhalve dag. Ons weekend is...'

'Naar de haaien. En wat hebben we als compensatie?'

Hij neemt haar in de armen; maakt het bovenste knoopje van haar bloes los.

'Kom, we gaan naar bed.'

***

Twee uur later dommelt Toets verzadigd in... Zijn laatste gedachten ebben zacht weg... Een man en een vrouw die van elkaar houden... die een leuk kind hebben... die gelukkig zijn... Het is zo eenvoudig... Waarom maken mensen er dan zo'n knoeiboel van...?

Uitvaartdienst Roger Feys.

De kerk zit bomvol. Soms tast een blik me vragend af. Mensen die me (her)kennen. Wat komt inspecteur Toets hier zoeken? Denken ze aan soortgelijke scènes uit een gangsterfilm? Vaak komt er een begrafenis in voor. Handige zet van de regisseur. De camera tast de gezichten van de aanwezigen af, legt het kleinste gebaar vast. De toeschouwer ziet zo veel meer en veel scherper dan gelijk welke deelnemer aan de uitvaartceremonie. 'Kijk goed en u kunt raden wie de moordenaar is,' suggereert de regisseur door middel van de camerabeweging. De toeschouwer beseft te weinig dat de regisseur hem in het ootje neemt. Verbrugge geloofde nog dat hij op de begrafenis van een slachtoffer mogelijks iets kon leren over de moordenaar. Mijn ex-baas behoorde dan ook tot een totaal voorbijgestreefde generatie van speurders... Ik geloof niet dat er bij de uitvaart van Roger Feys iets te ontdekken valt, al is de waarschijnlijkheid groot dat de moordenaar aanwezig is in de kerk. Nee, een begrafenis is een ritueel waarbij iedereen zich gedraagt zoals het van hem verwacht wordt en een passend gezicht opzet. Een noodzakelijk ritueel overigens. Pas na de begrafenis kan het gewone leven zonder de overledene verder gaan. Ik weet hoe het misliep bij mijn schoolvriend Leo en zijn vrouw Marie... Vreselijk wat hun overkomen is. Victor, hun enig zoontje van vijf, overreden door een auto en op slag dood. Hun verdriet was zo intens dat ze een rituele begrafenis niet zagen zitten. Het kind werd begraven in de allerstrikste intimiteit; bijna stiekem... Leo en Marie zijn vele vrienden kwijtgeraakt, en voor hen beiden heeft het leven zijn normale loop nog niet hernomen.

Waarom ben ik dan hier? Een begrafenis is een van de weinige levensmomenten waarbij ik verder denk dan het 'hier en nu'. De doodskist in de middengang drukt je met de neus op de realiteit: ooit lig ik – mijn stoffelijk overschot – in zo'n kist. Het kan weldra zijn. Een auto-ongeval bijvoorbeeld... Het kan over vijftig jaar zijn. Vijfentachtig is haalbaar... Ben ik dan weg? Verdwenen in het niets? Of blijft er iets van mij over? Wat? Waar? Hoe lang...? Doc weigerde te antwoorden. Op al die vragen geeft de priester wel een antwoord. Luister naar de teksten van de overlijdensliturgie... Het antwoord van de Kerk ken ik al van kindsbeen af... De mens sterft lichamelijk af, maar zijn ziel blijft leven in eeuwigheid. De staat van geluk of ongeluk waarin de ziel verkeert wordt bepaald door het gedrag van de mens op aarde. Op het einde der tijden zal de ziel opnieuw verenigd worden met het verheerlijkt lichaam. Dat is het zowat... Maar wat denken of geloven de aanwezigen zelf? Stel dat ik een enquête zou doen. Het percentage dat gelooft wat de priester zegt in naam van de Kerk zal minimaal zijn, vrees ik. En toch zit iedereen zwijgend in dit kerkgebouw. Wie zwijgt, stemt toe geldt hier niet.

Wat zou ik antwoorden bij de enquête...? Dat ik het niet weet. Dat ik mijn best doe om een goed mens te zijn en dat ik het dan wel zal weten als ik dood ben... Het antwoord van de meerderheid?

Vanuit de zijbeuk heb ik kijk op de eerste rijen van familie en vrienden... Zijn moeder met naast haar de andere zoon, Robert. Lijkt op Roger, hoewel hij die laatste slechts kent van een foto; maar dikker en logger. Heb met de man een afspraak gemaakt na de teraardebestelling; een gesprek in een apart zaaltje van café Sint-Sebastiaan op het kerkplein... Wie zitten er verderop? Enkele opvallende dames... Mevrouw Bauwens, Julie Vanneste, Betty Craem...? Wie is wie? Morgen ondervraag ik ze allen. Het doodsbericht was zeer sober...

Verboven groet me vanuit de verte met een hoofdknik. Twee van zijn medewerkers vermoord in drie dagen tijd. Bij Martins NV zal de roddel de sociale onrust overstijgen. Heb gezien dat er bij de bloemen ook een majestueuze krans van de vakbonden lag. Bert Schepers heeft er blijkbaar werk van gemaakt. Staat ook op mijn lijstje voor een verhoor; alsook de bedrijfsarts en de veiligheidsinspecteur van het ministerie...

De priester-celebrant is jong. De teksten van de mis waren sober, geen verwijzingen naar moord of misdaad. Wel naar het vraagteken van het menselijk bestaan. Verwees in zijn homilie naar het dagboek van de Italiaanse auteur Pavese: Il mestiere di vivere. De moeilijke opdracht van het leven. Of zoals Simenon het zei: 'Le métier d'homme'.

Waarom ik hier ben...? Een begrafenisdienst bijwonen is een bad nemen in 'menselijkheid'.

***

Met tegenzin geeft Toets Robert Feys een hand. Het gevoel van antipathie dat hem overvalt is sterker dan hemzelf. Hij weet dat hij mensen niet mag beoordelen op een eerste indruk, maar toch... Alleen al de manier waarop Feys de kamer binnenkwam... Glimlach op de lippen, zelfverzekerd, arrogant, en vleiend... 'Blij eindelijk kennis te mogen maken met de bekende inspecteur Toets.'

'Ik ben Maigret niet.' Feys begrijpt de zelfspot niet.

'Duurt het lang, inspecteur? De rouwmaaltijd wacht.'

'Niet langer dan een kwartier.'

Toets legt meteen zijn kaarten op tafel. Het gesprek met moeder Feys leerde hem dat de verstandhouding tussen de broers niet goed was.

'Komt in de beste families voor, inspecteur. Maar tussen dat en moord... *Allez, ça c'est autre chose...*' Feys lacht hartelijk.

'Toevallig was u de avond van de moord hier in de streek.'

'Ik had ook de bedoeling om mijn broer een bezoekje te brengen. Om de vredespijp te roken over die geldkwestie.'

'Maar u hebt het niet gedaan?'

'Nee, en achteraf heb ik daar spijt van gehad, maar dan om een heel andere reden.'

'Wie a zegt, moet ook b zeggen.'

'Het zit zo, inspecteur... Ik reed de parking van Residentie Leieboorden op omstreeks halfnegen. Toen dacht ik bij mezelf: wat kom ik hier eigenlijk doen? Roger heeft zich van mij gedistantieerd, het is dus aan hem om de eerste stap te zetten. Terwijl ik zo zat na te denken, zag ik een man haastig naar buiten komen. Hij liep – ik zeg wel lopen; wat mij doet veronderstellen dat het een jonge man was – naar zijn auto, sprong erin en scheurde weg.'

'Vermoedelijk Wim Albers. Zou u hem herkennen?'

'Is hij niet...?' Feys zoekt het juiste woord.

'Hij ligt opgebaard.'

'Maar het antwoord is hoe dan ook: nee. Het was donker en het is pas achteraf dat ik me realiseerde dat wat ik gezien had belangrijk kon zijn.'

'En de auto?'

'Omdat hij zo wegscheurde heb ik er speciaal op gelet. Een Opel Astra... In een vroeger leven ben ik nog autodealer geweest.'

'Gestolen auto's?'

'Ik dacht dat we het over de moord op mijn broer hadden, inspecteur... En ik heb nog méér gezien.' Feys blaast zich gewichtig op. 'Ik bleef nog even zitten en toen stopte er een andere auto op de parking. Een man met een hoed op en in een lange jas stapte uit. Het viel me op omdat het een regenjas was en het regende niet. Met stevige pas stapte hij de residentie binnen. Hij kan niet lang binnen geweest zijn, want net toen ik me definitief bedacht had om Roger geen bezoek te brengen en de motor wou starten, kwam hij weer naar buiten. Hij leek haast te hebben, sprong in de auto die hij blijkbaar niet gesloten had en reed ook met piepende banden weg... Vreemd, dacht ik, maar ik maakte niet meteen een link met Roger. Er zijn meer bewoners in het flatgebouw. Pas toen ik later meer bijzonderheden vernam, begon ik een mogelijk verband met de moord te zien. Maar toen lag onze afspraak al vast en...'

'De auto?'

'Sorry; een model van de middenklasse. Méér durf ik niet te zeggen. De auto stond aan de andere kant van de parking.'

'En de man?'

'Hoed en regenjas. Gemiddeld lang. Geen knaap, geen oude man...' Feys steekt verontschuldigend de handen op; vraagt dan: 'Ben ik nog verdacht?'

Toets zucht. 'De moord op Wim Albers heeft het onderzoek in een andere richting gestuurd.'

'Welke?'

'Wat denkt u?'

Feys lijkt blij te zijn dat naar zijn mening wordt gevraagd... 'U moet het volgens mij zoeken bij Martins NV. Ik weet dat velen denken dat Roger homofiel was. Ik geloof eerder dat zijn libido te laag was.' Feys grijnslacht. 'Een ongelijke verdeling tussen de broers; de ene te weinig, de andere te veel.'

'Wat kan er bij Martins NV gebeurd zijn?'

'Ooit van dat ongeval door elektrocutie gehoord? Daar zat een luchtje aan. Volgens mij is Rik Bauwens niet alleen door een vergissing aan zijn einde gekomen.'

'Vertelt u maar; dit is geen officiële ondervraging.'

'U kent Betty Craem, de weduwe van de verongelukte Rik Bauwens? Een tijdlang is ze mijn schoonzus geweest. Betty nam het niet nauw met de huwelijkstrouw. Minnaars bij de vleet, en ik vermoed dat een van hen... U begrijpt wat ik bedoel, inspecteur?'

'Was u haar minnaar?'

Feys lijkt verrast door de directe vraag. Even aarzelt hij met het antwoord, dan krult een gemene lach zijn mondhoeken. 'Ik was haar financieel raadsman en ze betaalde me in natura.'

'U leende haar geld?'

'Ze wilde haar salon uitbreiden en ik verdiende toen dik geld met tweedehandsauto's.'

'Hoe groter de lening, hoe meer natura.'

'Het vlees is zwak, inspecteur, en Betty is... Wacht maar tot u haar ziet.'

'Uw broer was van dat alles op de hoogte?'

'Weet ik niet. Ik heb het hem niet verteld maar via, via... *It's a small world*.'

'Met Betty in het centrum.'

'Mag ik nu gaan, inspecteur?'

'Nog één vraag... Was Bert Schepers haar minnaar?'

'Kunt u beter aan Bert zelf vragen. Ik vertel nooit kwaad van collega's.'

'Aangenaam, mijnheer Peeters, en bedankt dat u gereageerd hebt op de oproep en tijd vrijgemaakt hebt om naar mijn bureau te komen.'

'Als dat een bijdrage kan zijn om de wereld een beetje beter te maken... Veel tijd heb ik echter niet. Over een uurtje begint het overleg met de directie van Martins.'

'Met Verboven?'

'Erg hè! Twee van zijn medewerkers vermoord in drie dagen tijd. Hij staat er nu heel alleen voor.'

'Is er een akkoord in de maak?'

'Als de directie redelijk is... Maar nu wat Wim Albers betreft...'

'Vertel me de inhoud van jullie gesprek. Nu u weet wat Albers overkomen is, kunnen sommige woorden belangrijk zijn.'

'Wel, ik kon toch niet nalaten erop te wijzen dat we radicaal tegen "afgezonderd werken" zijn en dat...'

'Rik Bauwens is dood, mijnheer Peeters. Wat vroeg Albers?'

'Hij zei dat hij een misdaadroman wilde schrijven waarin zo'n arbeidsongeval in feite een moord zou zijn. Maar ik vond dat geen goed idee. Bij een dodelijk arbeidsongeval wordt alles nauwkeurig onderzocht. Trouwens, waarom zou iemand Rik Bauwens hebben willen vermoorden? Een arbeider...'

'Om Riks vrouw tot de zijne te maken.'

De onderbreking van Toets verrast de vakbondsman.

'*Cherchez la femme*,' lacht Toets minzaam.

'Dan zijn er veel gegadigden,' repliceert Peeters.

'Wie eerst?'

'Er wordt verteld dat ze het nu aanlegt met advocaat Vercruysse.'

'Maar een jaar geleden...? Bert Schepers?'

'U zoekt verkeerd, inspecteur. Bert is een eerlijke vent.'

'Maar Albers zocht toch in die richting? Die misdaadroman was vermoedelijk een foefje. Ik denk dat Albers overtuigd was dat Roger Feys ontdekt had dat het elektrocutieongeval een moord was en dat het die ontdekking was die hem het leven heeft gekost.'

'Nu u het zo duidelijk formuleert, herinner ik me dat Albers dat woordelijk gezegd heeft.'

'En vermoedelijk heeft hij dat tegen nog anderen gezegd; maar aan één persoon te veel... Aan zijn moordenaar.'

'Toch denk ik dat Albers verkeerd zat. Die jongen las te veel thrillers en dan ga je het altijd te ver zoeken. Volgens mij hebben de moorden te maken met passie; homofiele relaties en zo...'

'In dat geval is het eenvoudig om de derde man te zoeken... De in de steek gelaten vriend van Roger... Zo roddelt men toch?' Peeters knikt. 'Maar het is waarschijnlijk niet zo,' vervolgt Toets. 'Heeft Albers niet gezegd wat hij van plan was te doen? Denk goed na...'

Toets laat de stilte lang duren. De vakbondsman fronst het voorhoofd. Opeens ontspant zijn gezicht. 'Toch wel, inspecteur. Hij zei: "Ik zal bewijzen dat Roger vermoord is omdat hij iets ontdekt heeft in het bedrijf."'

'Hij wou het zelf bewijzen?'

'Dat denk ik nu, inspecteur.'

'De dwazerik... Als hij mij in vertrouwen had genomen, dan had hij nu nog geleefd.'

'Heb ik iets verkeerds gedaan, inspecteur?'

'Nee... dank u hartelijk, mijnheer Peeters.'

'Ik dank u, mijnheer Delrue, voor uw medewerking aan het onderzoek in de moord op Wim Albers. Als ik het goed voorheb, bent u hoofd van de preventiedienst bij Martins NV.'

Ingenieur Delrue start meteen met een deskundige uitleg over de werking van de preventiedienst. Toets laat de stortvloed van woorden over zich heen gaan en poogt er de essentie van te vatten. Hij begrijpt dat er zich de laatste jaren twee belangrijke verschuivingen hebben voorgedaan op het gebied van veiligheid en hygiëne op de werkplek: een verbreding en een verdieping. Het begrip 'welzijn' werd de brede koepel waaronder alle maatregelen die bevorderend zijn voor 'het zich goed voelen bij de arbeid' zijn gegroepeerd. Bovendien werd de aandacht om arbeidsongevallen te vermijden aangescherpt: van remedie naar preventie.

Als de spraakwaterval vertraagt, acht Toets zijn ogenblik gekomen.

'Toen Wim Albers woensdag met u sprak, had hij een bedoeling. Hij wilde iets te weten komen...'

'Juist. Hij wilde uitzoeken hoe de elektrocutie van een jaar geleden zich had voorgedaan.'

'U hebt hem alles uitgelegd? Hij aanvaardde uw versie van de feiten?'

'Die ook de officiële versie is, inspecteur. Hebt u het eindrapport gelezen? Het volledige dossier moet in het archief van Roger Feys te vinden zijn.'

'Ik heb nog geen tijd gehad... Er is nooit aan misdadig opzet gedacht?'

Delrue kijkt Toets verbouwereerd aan... Zoekt naar woorden.

'Waarom denkt u dat? Albers stelde ook die vraag. Ik heb mijn werk goed gedaan, inspecteur.'

'Daar twijfel ik niet aan, mijnheer Delrue.'

'Dan is het dossier afgesloten.'

'Ook als er nadien twee moorden gebeuren?'

'Wie kan bewijzen dat die zaken met elkaar in verband staan?'

'Misschien poogde Albers dat te doen en werd het hem fataal.'

Ingenieur Delrue schuift ongemakkelijk heen en weer op zijn stoel.

'Ik heb Albers op een bierviltje uitgelegd hoe het ongeval gebeurd is.'

'Hoe het gebeurd kan zijn,' verbetert Toets.

Ingenieur Delrue wordt zenuwachtig.

'Luister, inspecteur... Lees eerst het dossier over dat arbeidsongeval en dan zullen we beter kunnen praten.'

'Sorry... Ik heb gelogen. Albers heeft het dossier uit het archief van Feys meegenomen. Daarom heb ik het nog niet kunnen lezen. Waar het nu is, weet ik niet. Na mijn gesprek met Albers woensdagmorgen is hij vanuit het studentenhuis met onbekende bestemming vertrokken en heeft hij onder andere dat dossier meegenomen... Nee, niet naar een hotel. Dat heb ik laten onderzoeken. En hij moet op de een of andere manier ontdekt hebben dat er een verband kon zijn tussen de dood van Roger Feys en die van Rik Bauwens. Anders begrijp ik niet waarom hij terugkwam op dat elektrocutieongeval.'

'Nu breekt mijn klomp, inspecteur. Uiteraard kan er bij ieder ongeval boos opzet mee gemoeid zijn. Als een auto in de Leie duikelt, zou je kunnen vermoeden dat de stuurinrichting ontregeld was; als iemand door een auto overreden wordt, kan hem een kalmeermiddel toegediend zijn waardoor zijn reflex werd afgezwakt... Welnu, bij het ongeval van Rik Bauwens, zijn we daar niet van uitgegaan. Het was een ongeval... Hoe het verklaard kon worden? Ik heb een uitleg gegeven die door alle partijen werd aanvaard; niemand heeft een klacht ingediend. Dossier gesloten. En als ik het zeggen mag, inspecteur, Wim Albers las te veel thrillers. Dat kietelt de verbeelding. De echte misdaden – deze die voor het gerecht komen – zijn rechttoe- rechtaan-misdaden. Zonder franjes of kunstgrepen. Sherlock Holmes is een literaire creatie; geen mens van vlees en bloed.'

'Hebt u Sherlock Holmes gelezen? Welke verhalen?'

Ingenieur Delrue zet een verongelijkt gezicht op. Hij heeft zijn laatste woord gezegd.

Voor de laatste afspraak van de dag wandelt Toets naar het flatgebouw Mayfair. In de hal wacht de conciërge hem al op. Een gezette vijftiger met lachoogjes en beweeglijke handen. Hij trappelt van ongeduld om zijn verhaal te mogen vertellen. Hoopt hij op tv te komen? Wat mensen daar al niet voor doen... Toets is op zijn hoede.

'Inspecteur, 'k heb meteen gebeld toen ik 't bericht hoorde.'

'Dank u, mijnheer Denul, ik ben benieuwd wat u mij te vertellen hebt over Wim Albers.'

'Hierheen, inspecteur.' Hij leidt Toets binnen in een kleine antichambre. De inspecteur voelt dat de man zijn verhaal heeft voorbereid.

'Ik luister,' zegt hij en gaat zitten.

De opgespannen veer zet het spraakmechanisme in gang... ''t Was woensdag kort voor de middag... 'k Zag vanuit de loge 'n jongeman binnenkomen; met 'n reistas en 'n boekentas. Waar wil die naartoe, dacht ik, die woont hier niet. Ik eropaf. "'k Ben hier de conciërge, wie zoekt u, mijnheer?" vroeg ik. De jongeman keek me verschrikt aan. 'n Knappe vent, moet ik zeggen; blauwe ogen, blond haar, lang en slank...'

'Ik ken hem.'

'O, pardon... "'k Kom logeren bij Jozef Verbeke," zei ie. 'k Had Jef – 'k noem alle bewoners bij de voornaam – kort voordien zien weggaan met 'n koffer. "Da' zal moeilijk gaan, want Jef is weg," zei ik. "Weet ik," zei ie, "De sleutel ligt onder de deurmat." "Mag ik dan uw naam weten?" vroeg ik. "Wim Albers," zei ie. 'k Heb 't opgeschreven en zo wist ik 't direct toen ik 't op tv hoorde. 'k Had de foto niet nodig, maar 't was 'm.'

'Wat zei Albers nog méér?'

De conciërge houdt niet van onderbrekingen in vraagvorm.

'Z'n reistas had ie neergezet maar de boekentas hield ie vast. Zo te zien zat er veel in en woog hij zwaar. "Tweede verdieping," zei ik, "daar is de lift." "'k Ga langs de trap," zei ie, en dat waren z'n laatste woorden die 'k gehoord heb.'

'En ook niet meer gezien?'

'Toch wel. 's Avonds rond halfelf heb ik 'm naar buiten zien gaan.'

'Hoe was hij gekleed?'

'Donkere *trenchcoat*...'

'Blootshoofds?'

'Ja. Ben ik zeker van, hij zag me en knikte.'

'Hij vertrok toen naar de afspraak met zijn moordenaar.'

'Had ik 't maar geweten.'

'Hij wist het niet eens zelf... Mag ik de flat zien waar hij verbleef? U hebt een loper?'

'Die 'k enkel gebruik op vraag van de bewoner... en van de politie.'

'En gisteravond?'

De conciërge kijkt of hij het in Keulen hoort donderen. 'Wat bedoelt u, inspecteur?'

'Kom nou, toen u gisteravond het bericht van zijn dood vernam, bent u meteen gaan neuzen in de flat.'

'Inspecteur, ik...'

'Lieg niet. Toon mij liever wat je al of niet hebt aangeraakt. Kom.'

Ze gaan langs de trap naar boven.

'Da's de mat. 'k Heb al gekeken; er ligt geen sleutel onder.'

'Nee, die heb ik hier.' Toets steekt de sleutel in het slot. De concierge staat er schaapachtig bij met de loper in de hand. 'Stak in de zak van zijn *trenchcoat*,' verduidelijkt Toets.

De deur zwaait open en de conciërge voelt zich geroepen om gids te zijn. 'De hal, deur rechts toilet, deur links slaapkamer...' Toets maakt ze open. Het bed is opgemaakt, de reistas staat ongeopend op een stoel. 'En hier de living met kitchenette.' Alles ziet er ordelijk uit, enkel op het bureau liggen losse papieren, dossiers, een boek. In de open boekentas op de grond naast de bureaustoel zit een laptop...

''t Ziet eruit alsof Jef hier was,' zegt de conciërge.

'Hebt u iets aangeraakt?'

'Niets, inspecteur, ook niet op 't bureau.'

'Alleen gekeken en gelezen?'

'Wat ik kon lezen.'

'En...?'

''k Denk dat Wim Albers bezig was een misdaadverhaal te schrijven.'

'En er tegelijk een personage van te zijn.'

Toets buigt zich over het bureau. Bovenop ligt een notitie die begint met de woorden: *Ik ben verdachte nummer één. Heb geen alibi...* Toets schudt het hoofd terwijl hij verder leest. 'Dwazerik,' mompelt hij binnensmonds. Dan gaat zijn aandacht naar de agenda met de afspraken van Albers op woensdag. Toets ziet met voldoening dat alle betrokkenen zich gemeld hebben met uitzondering van de moeder van Roger Feys; waar hij begrip voor heeft. Verder op het bureau de twee dossiers die uit het archief van Feys verdwenen waren. En een boek. *The Remorseful Day* van Colin Dexter. Wanneer hij de roman doorbladert, valt er een papiertje uit. Toets meent het handschrift van Feys te herkennen.

Dodelijk ongeval door elektrocutie in het bedrijf. Basis voor een misdaadroman...

Toets fluit – tegen zijn gewoonte in – tussen de tanden.

'Mijnheer Denul, ik neem alles mee. Ook de boekentas met laptop. U sluit de flat af en laat niemand meer binnen.'

'En als Jef terugkomt?'

'Vraag of hij met mij contact opneemt. Hier is mijn kaartje.'

Dat wordt nachtwerk, denkt de inspecteur gelaten.

***

Vele uren later glijdt Toets onder de lakens. Het is 02.30 u. Hij puzzelt dicht tegen de gezellige warmte en zachte rondingen van Miet aan.

'Je slaapt nog niet?'

'Ik slaap niet meer.'

'Je was toch lekker moe.'

'Ik ben nog méér nieuwsgierig... Wat heeft mijn speurder ontdekt in de papieren van Wim Albers?'

'Veel en weinig, zoals dat gaat in ieder misdaadverhaal.'

'Dit is geen verhaal, maar echt.'

'Ik weet het nog niet; realiteit en verhaal doorkruisen elkaar in deze zaak.'

'Zeg eens wat je dan wel weet.'

'Als *weten* kennen met zekerheid is, dan weet ik nog niets. Maar ik hoop morgenavond een grote stap vooruit te zijn.'

'Na met de vrouwen gesproken te hebben; je zondag wordt een *ladies day*.'

'Vóór de middag Betty Craem en de dame van de Oscar Wilde; na de middag mevrouw Bauwens en dat meisje van Bar Amigo; wat die laatste met Wim Albers te maken heeft, is me niet duidelijk.'

'Is inspecteur Toets nooit in een bar geweest zonder dat vrouwlief er weet van had?'

'Beroepsgeheim.'

'De vrouw van een speurder mag niet jaloers van aard zijn. Morgen sta je oog in oog met vier knappe vrouwen.'

'Betty Craem is gebocheld en kijkt scheel.'

'Zal wel. Het juiste profiel voor een schoonheidssalon.'

'Om te eindigen zal ik nog Bert Schepers verhoren die Wim Albers – volgens mij – op zijn lijstje vergeten had.'

'Kroongetuige of verdachte?'

'Na het gesprek zal ik het weten. Ik laat hem in ieder geval vorderen.'

'Kom je lunchen?'

'Ik laat broodjes naar het bureau brengen. Jij kunt dan met Lucas bij oma blijven.'

'Hoeveel compensatie krijg je voor een weekend werken?'
'Vier dagen... Zodra het weer mooi is trekken we eropuit.'
'Als de zaak dan opgelost is.'
'Ik voel dat we in een stroomversnelling komen.'
'Als een speurder niet weet, mag hij ook niet voelen.'
'Juist, Miet... Maar jou voel ik wel.'
'Ssst... slapen.'

Betty Craem is stipt op tijd: om 10 u. meldt ze zich op het bureau van de Gerechtelijke Politie.

Toets heeft een en ander moeten regelen om verhoren op zondag mogelijk te maken. Ambtenaren worden niet graag opgejut. Maar uiteindelijk is het gelukt. De portier ontvangt de getuigen, zorgt voor koffie, broodjes en versnaperingen, ruimt op en sluit alles af. Toets kan de volle aandacht besteden aan zijn gesprekspartners.

'Mevrouw Craem, dank u voor uw bereidwillige medewerking aan het onderzoek.' Toets glimlacht omdat hij denkt aan de kwalificaties die hij Betty toegekend heeft... Door welke woorden zou hij naar waarheid 'scheel en gebocheld' het best kunnen vervangen: 'knap en elegant', 'prachtig en aantrekkelijk', 'gratie en sex-appeal'...? Als man voelt hij meteen: die vrouw heeft *het*. Ze is nochtans burgerlijk gekleed: een beige mantelpak, schoenen met halfhoge hak, lichte make-up, geen juwelen... En toch. In een aardappelzak zou ze er nog sexy uitzien. Het zijn haar tijgerogen die het doen, besluit Toets, ze zuigen je als het ware op.

'Graag gedaan, inspecteur. Misdaad moet bestraft worden. Na Roger Feys nu Wim Albers. En hij was zo'n lieve jongen. Ik ben er nog niet goed van.'

'U kende hem al lang?'

'Eigenlijk niet. Bij het overlijden van mijn man heeft hij mij gecondoleerd en daarna heb ik hem vluchtig gezien bij bezoeken aan Roger Feys.'

'Waarom heeft hij u woensdagmiddag opgezocht?'

'Om eerlijk te zijn, inspecteur, was dat de vraag waarmee ik ook zat toen hij vertrokken was.'

'Maar toen hij zijn bezoek aankondigde... telefonisch, veronderstel ik, moest hij toch een reden opgeven?'

'Hij zei dat inspecteur Toets hem gevraagd had om enkele zaken die gebeurd waren bij Martins nader te onderzoeken; zaken die verband konden hebben met de moord op Roger Feys. Ik vond het vreemd. Zei al lachend dat ik niet bij Martins werkte, waarop hij antwoordde: "Maar je man heeft er wel gewerkt." Ik dacht: laat hem maar komen, dan hoor ik het wel.'

'Wat heeft hij precies gevraagd? Tracht zo goed mogelijk zijn woorden te herhalen.'

'Aanvankelijk was hij eigenlijk méér geïnteresseerd in mijn salon... Maar ik denk niet, inspecteur, dat u daar belang in stelt... Nee, het was pas toen hij een gin-tonic op had dat hij iets zei over de moord op Roger Feys...'

Ze hoort en ziet zichzelf praten, denkt Toets. Een geboren actrice. Nu verwacht ze dat ik van nieuwsgierigheid op het puntje van mijn stoel ga zitten. Maar ik blijf kalm zwijgen.

'Hij zei...' Toets kijkt over haar schouder naar buiten. Ze voelt dat hij haar ontglipt... 'Hij zei dat Roger Feys een misdaadverhaal aan het schrijven was. Over een elektrocutieongeval dat later een moord blijkt te zijn. Ha, dacht ik, daarvoor is hij eigenlijk gekomen. Hij komt eens kijken hoe de weduwe van het slachtoffer zich in zo'n situatie gedraagt.'

'En hoe gedraagt ze zich?'

Ze is duidelijk verrast door de directheid van de vraag. De vlam in de ogen slaat uit.

'Ik dacht dat we het over Wim Albers zouden hebben, inspecteur. Als het over mij gaat, dan wil ik graag dat meester Vercruysse hierbij aanwezig is.'

'Is het verkeerd dat ik even nieuwsgierig ben als Wim Albers?'

'U bent van de politie, mijnheer Toets.'

Hij voelt dat ze dicht bij een breekpunt zijn. Als hij het gesprek wil redden moet hij minder assertief zijn. Betty is een vrouw die gewend is aan het eerbetoon van mannen... Gebruik je charme, fluistert hij zichzelf in.

'Sorry, mevrouw Craem.' Toets tovert een innemende glimlach te voorschijn. 'Soms ben ik al te gedreven in mijn werk. Misschien overkomt u dat ook in uw activiteiten. Ik heb vernomen dat u een florissant salon hebt. Hoewel het voor een vrouw alleen niet gemakkelijk zal zijn... Hoe lang bent u nu al weduwe?'

Even lijkt ze te aarzelen of ze zal meegaan in de verandering van toon. Toets geeft nog een duwtje in de gewenste richting.

'Dit is geen officiële ondervraging, mevrouw. Ik maak geen noties en er is geen getuige bij. Laat het een babbel zijn die mij kan helpen om het spoor van Wim Albers te volgen. Zo kom ik misschien bij de moordenaar terecht.'

'Ik hou er niet van dat ik herinnerd word aan de dood van Rik. Ik probeer dat elektrocutieongeval te vergeten en een nieuw leven te beginnen. Toen Albers erover begon heb ik hem dat belet en heb ik hem vierkant gezegd dat het heden en de toekomst voor mij belangrijk zijn.'

'Wat zei hij nog meer over Roger Feys?'

'Hij loofde zijn chef in alle toonaarden en wist geen reden te bedenken waarom iemand zo'n charmante man zou vermoorden.'

Ze liegt dat ze zwart ziet, denkt Toets. Na wat hij gelezen heeft in de papieren van Feys en Albers zal het zeker niet zo'n vrijblijvend gesprek geweest zijn.

'Naar ik van anderen gehoord heb, was Albers op zoek naar het motief van de moord op zijn chef.'

'Anderen...?' Er klinkt een vragende onzekerheid in haar stem.

Nu moet ik gokken, denkt Toets... 'Diezelfde namiddag heeft Albers met vijf mensen gesproken die zich allen gemeld hebben na de oproep. Aan allen heeft hij de vraag gesteld of er naar hun mening een verband kon bestaan tussen het elektrocutieongeval van uw man – sorry dat ik het toch moet vermelden – en de dood van Roger Feys.'

Haar ogen worden groot van verbazing. Echt of gespeeld?

'Een verband? Hoezo?'

'Albers was ervan overtuigd dat Feys ontdekt had dat er misdadig opzet was bij het ongeval van uw echtgenoot; dat hij op zoek was naar de ware toedracht van de zaak en dat die speurtocht hem fataal geworden is.'

'Misdadig opzet?'

'Zeg maar moord, zoals in het verhaal dat hij aan het schrijven was.'

In de ogen verglijdt de verbazing naar vrees.

'En geen arbeidsongeval?' In haar voorhoofd tekent zich een rimpel af. 'Hoe moet het dan met de uitkering?'

Voor Toets is alles opeens duidelijk. Die vrouw geeft geen zier om de dood van haar man, maar bekommert zich wel om de vergoeding die ze ervoor ontvangen heeft. Met die som geld heeft ze zich kunnen waarmaken als zakenvrouw en als begeerlijk object voor de man. De rest is... Hij mag nu het gesprek bruuskeren.

'Heeft Albers het met u daarover gehad? Ja of neen?'

Opnieuw de grote ogen waarmee ze waarschijnlijk denkt onweerstaanbaar te zijn. Maar niet bij een inspecteur die beroepshalve al door vele watertjes heeft gezwommen.

'Hij vertelde van het misdaadverhaal dat Feys aan het schrijven was. Over wat er echt gebeurd was... Dat is toch een uitgemaakte zaak?'

'Luister, mevrouw, in deze zaak lopen verhaal en realiteit door elkaar. Het is mijn taak om precies uit te maken wat verhaal is en wat realiteit is. Of maakt dat voor u geen verschil uit? Wenst u niet te weten hoe uw echtgenoot aan zijn einde gekomen is en wie de schuldige is?'

'Ik wil de waarheid weten.'

'Maar dan moet u ook de waarheid vertellen.'

'Waarover?'

'Vooral over uzelf want dat is het enige waar u zeker over bent.'

'Nogmaals, inspecteur, ik heb positief gereageerd op een oproep in verband met de moord op Wim Albers, een jongeman die ik sympathiek vond, en ik word hier voortdurend ondervraagd over mezelf. Daar bedank ik voor.' Ze maakt aanstalten om op te staan.

'Wie is Bert Schepers?' vraagt Toets scherp.

'U hebt gezegd dat ik enkel kan praten over mezelf; het enige waar ik zeker over ben.'

'Hij heeft uw echtgenoot gevonden toen hij geëlektrocuteerd werd?'

'Ook voor hem was het pijnlijk; Rik was zijn beste vriend en hij is peter van ons zoontje Johan.'

'Als bewezen wordt dat uw echtgenoot vermoord is, wat zou dan het motief kunnen zijn?'

'Zou...zou... Als mijn tante wieltjes had, zou ze een autobus zijn.'

Verdomme, denkt Toets, ze valt op haar poten... pardon, op haar slanke benen.

'Geen vermoeden?'

'Hij bezat weinig; behalve mij.'

'Aha...'

'Dan begrijpen we elkaar, inspecteur.'

Een mooie uitspraak om het gesprek te beëindigen, vindt Toets.

'Mevrouw Vanneste...'

'Julie, inspecteur. In de Oscar Wilde ben ik voor iedereen Julie. Als u "mevrouwt" dan zal ik denken dat u met iemand anders praat.'

'Fijn dat je gekomen bent, Julie.' Toets zegt het van harte. Verbazend hoe goed ze op Miet lijkt; zelfde figuur en kapsel, even lang, even oud.

'U lijkt goed op mijn vrouw,' zegt hij spontaan.

'Hoe heet ze?'

'Miet Callens.'

'Echt? Dan hebben we in dezelfde klas gezeten.'

'In Onze-Lieve-Vrouw ter Engelen ?'

'Zeker weten; maar ik ben gestopt toen ik vijftien was. Te wild om in zo'n deftige school te blijven. U ziet trouwens waar ik terechtgekomen ben. Doe haar de groeten... of kom samen eens naar de Oscar Wilde. Spijtig dat we in zulke tragische omstandigheden kennis moeten maken. Verschrikkelijk... Na Roger Feys nu Wim Albers.'

'Misschien kunt u ons helpen; iedere inlichting, hoe futiel ook, kan nuttig zijn.'

'Ik vrees dat ik u weinig kan helpen.'

'U hebt als een van de laatsten Wim Albers in levenden lijve gezien. Vertel eens...'

'Mag ik eerst iets anders zeggen...? Dank u... Woensdag, rond vier uur heb ik bezoek gekregen van een van uw medewerkers. Ik neem aan dat u op de hoogte bent. Ik vond dat hij nogal grof was. Voor hem was het al een uitgemaakte zaak dat de moord op Roger een homofiele affaire was en dat Wim Albers zijn nieuwe vriend was. Ergo, de in de steek gelaten vriend was de dader. *To Jump to conclusions*, heet dat.'

'Ja, mijn adjunct Snels is geen Sherlock Holmes.'

'En het spoor van homofiele passie is vals; dat kan ik u verzekeren...'

En ze doet het relaas van Wim Albers' bezoek woensdagavond... Ze vertelt vlot en kruidt het verhaal met vele details. Een halfuur lang luistert Toets aandachtig zonder haar te onderbreken en met bewondering voor haar scherpe opmerkingsgeest.

'Dank je, Julie, voor deze interessante informatie. Als ik mag samenvatten.

Een: Albers is zelf op zoek gegaan naar de moordenaar van Roger Feys om zijn eigen onschuld te bewijzen; hierbij heeft hij in de loop van woensdag verschillende mensen gesproken. Hij was ondergedoken bij een vriend. Adres onbekend;

Twee: zijn thesis was dat Feys ontdekt moet hebben dat de elektrocutie van Rik Bauwens geen ongeval was, maar een moord. Die ontdekking kostte hem het leven;

Drie: bovendien schreef Feys zijn bevindingen op in een 'geromanceerde' vorm; het tweede deel van de roman zou hij vermoedelijk geschreven hebben na de ontmaskering van de dader;

Vier: Albers besefte dat hij gevaarlijk spel speelde en zou me donderdagmorgen alles zelf vertellen en me alle documenten overhandigen;

Vijf: de homofiele piste mogen we vergeten. Ivo Mulders zal contact met me opnemen en zijn relatie met Feys toelichten.

Akkoord zo?'

'En uw conclusie, inspecteur?'

'Laat ik eerst dit zeggen, Julie... Jouw verhaal klopt volledig met wat Albers dacht... Ja, ik heb ontdekt waar hij zich schuilhield en heb ondertussen alle documenten gelezen, inclusief het verhaal van Roger Feys.'

'Het was dus een soort examen? Een leraar die het antwoord al kent stelt vragen...'

'Het volledige en juiste antwoord ken ik helaas nog niet... Mijn voorlopige conclusie is dat de moordenaar van Feys en Albers één en dezelfde persoon is. Dat Albers vermoord werd omdat hij de moordenaar van Feys op de hielen zat.'

'En Roger? Waarom werd hij vermoord?'

'Ik heb een vermoeden, maar dat is alsnog te weinig door feiten of bekentenissen onderbouwd om er zeker van te zijn. Maar misschien weet ik vanavond méér... Ik vertrouw erop, Julie, dat je nu niet naar de pers loopt om de gedachtegang van inspecteur Toets openbaar te maken.'

'Ik kan zwijgen als het graf. Een vereiste voor wie in een bar staat.'

'Ik dank je in ieder geval voor je getuigenis.'

'Graag gedaan. Vergeet vooral niet de groeten te doen aan Miet en jullie zijn altijd welkom in de Oscar Wilde.'

'Ik heb een goede herinnering aan zijn *Picture of Dorian Gray*; misschien een gelegenheid om het boek te herlezen.'

'*Murder is always a mistake... One should never do anything that one cannot talk about after dinner...* Epigrammen die op de muren van de Oscar Wilde te lezen zijn.'

'Leuk. Ik kom zeker eens kijken. Daag!'

De broodjes zijn slap en smakeloos; de ham smaakt als gedroogd karton. Toets kauwt machinaal. Gelukkig is er het pittige corbièreswijntje om door te spoelen.

De inspecteur denkt na...

Ik ben er nu zeker van. De drie sterfgevallen zijn met elkaar verbonden als oorzaak en gevolg. Roger Feys vermoedt dat de elektrocutie van Rik Bauwens een misdaad is. Hoe en waarom is niet duidelijk. De dader komt te weten – opnieuw is het 'hoe' niet duidelijk – dat Feys vermoedens koestert en ruimt hem uit de weg. Uit de nagelaten papieren van Feys leidt Albers af dat zijn chef gedood werd omdat hij de thesis van ongeval niet geloofde. Albers loopt in de voetsporen van Feys en legt een verband tussen de elektrocutie en de dood van zijn chef. De dader van de twee moorden komt dat te weten (hoe?) en liquideert nu ook Albers. Die redenering lijkt logisch. De drie moorden zijn weliswaar nog met vraagtekens met elkaar verbonden. Wie was ervan op de hoogte dat Feys de thesis van ongeval door elektrocutie op zijn minst in twijfel trok? Wie was ervan op de hoogte dat Albers, na het verdwijnen van Feys, hetzelfde spoor volgde...? Maar terug nu naar de eerste moord (de elektrocutie)... Het motief? Dat Betty de opdracht tot moord zou hebben gegeven om opnieuw vrij te zijn, zoals Verboven suggereerde, geloof ik niet. Ze is een sterke vrouw en als ze wilde scheiden zou haar dat zeker gelukt zijn. Haar antwoord op mijn laatste vraag was direct en spontaan... 'Mijn man bezat weinig; behalve mij...' Haar minnaar is dus de dader. Maar minnaars lopen niet te koop met hun liefde en als de roddels waar zijn dan had ze veel aanbidders. De dader moet in ieder geval een medewerker van Martins NV zijn. Bert Schepers die het slachtoffer vond, staat als eerste in de rij kandidaten. Hij is vriend aan huis en peter van het zoontje. Maar in hun gedrag is niets veranderd na het overlijden van de echtgenoot. Als eenmaal de thesis van het ongeval vaststond, zouden ze als minnaars snel in elkaars armen gevallen zijn... Er kan een andere (onbekende) minnaar zijn... een van de vele medewerkers die ongezien de hal waar Rik Bauwens aan het werk was binnen kon. Maar nu schijnt ze het aan te leggen met advocaat Vercruysse die ze pas heeft leren kennen na de dood van haar man. Hoe dan ook, na haar woorden 'behalve mij' denk ik niet dat ze op de hoogte is van het misdrijf. Zo'n onvoorzichtige uitspraak zou ze anders niet doen. Voor Betty is en blijft het een arbeidsongeval. En als ze huwt met meester Vercruysse zal niemand mijn redenering nog volgen...

Laat ik eens met de laatste moord beginnen: die op Wim Albers. De moordenaar moet op de een of andere manier aan de weet gekomen zijn dat Albers het speurwerk van Feys voortzette met dezelfde werkhypothese: de elektrocutie was moord. Met wie heeft Albers daarover gesproken? Met vakbondsman Peeters, met ingenieur Delrue... met Betty, mevrouw Bauwens, Feys' moeder, Julie en Ivo van Bar Oscar Wilde... Ik zie niet meteen een moordenaar onder hen. Maar aan wie hebben zij achteraf verteld dat Wim Albers zo en zo dacht? Dom van mij dat ik het hun niet gevraagd heb... Maandag laat ik Snels, nee Linders is daarvoor beter geschikt, het rijtje opnieuw aflopen met die vraag... Maar

genoeg gepiekerd nu. Even wandelen. Nog een halfuurtje eer mevrouw Bau-
wens komt...

Mevrouw Bauwens verontschuldigt zich dat ze te laat is... 'De moeder
van Roger kwam dineren. Ze had wat verstrooiing nodig daags na de
begrafenis van haar zoon.'

'U hebt nog goede relaties met de moeder van uw ex-man?'

'O ja, zij gaf al het ongelijk aan haar zoon.'

'Bent u nog *on speaking terms* met uw ex?'

'Eigenlijk niet.'

'Ik heb hem gesproken na de begrafenis.'

'Weet ik. Hij leek boos achteraf.'

'Misschien heb ik hem onheus behandeld... Wat is er ter sprake
gekomen aan tafel?'

'Hoe bedoelt u, inspecteur?'

'Ik kan me voorstellen dat de naaste familie van het slachtoffer voortdurend gissingen maakt over de identiteit van de dader. Of vergis ik me?'

'We hebben vermeden erover te praten om moeder Feys geen verdriet te doen. We haalden herinneringen op aan Roger.'

'Maar nu moeten we het hebben over het motief en de daarbij
horende identiteit van de dader.'

'Dat is het derde gesprek, inspecteur. Eerst met uw medewerker
mijnheer Snels en daarna met Wim Albers; een gesprek waarover u
vermoedelijk méér wilt weten.'

'Zo is het, mevrouw Bauwens.'

Tijdens het inleidende gesprek heeft hij al een eerste indruk van
haar opgedaan... Een elegante chique dame; strak grijs mantelpak,
witte chemisier, knap gezicht, intelligente blik, sensuele mond... Vijf-
endertig, schat hij. Ze zit ontspannen in haar stoel, de benen gekruist,
zelfverzekerd, een vrouw die zich goed voelt...

'Ik kan nog niet geloven dat die frêle jongeman dood is. De moord
bewijst wel dat hij het goede spoor naar de moordenaar volgde.'

'Tracht precies de woorden van Albers te herhalen, mevrouw; het
is belangrijk.'

'Hij zei onomwonden dat er een verband was tussen het ongeval van mijn broer en de dood van Roger en ik gaf hem daarin gelijk.'

'Had u redenen om dat ook te denken?'

'Mijn broer was niet de man om zich te vergissen. Dat hij de verkeerde cabine zou hebben afgeschakeld...? Nee, dat kon ik niet geloven.'

'En het motief voor misdadig opzet?'

'Kent u de vrouw van mijn broer?'

'Nog niet,' liegt Toets.

'Dan wordt het tijd dat u haar leert kennen en veel zal u duidelijk worden.'

'Zeg eerlijk wat u denkt over uw ex-schoonzus.'

Het wordt een lang verhaal... Ze kent Betty al van toen ze nog een puber was. Een prachtig meisje; het moet gezegd worden. Ze had avonturen met gehuwde mannen. Nam deel aan missverkiezingen. Won er ook enkele... Ze droomde ervan mannequin te worden. Maar het liep mis; ze werd zwanger. Ze verdween toen even uit de circulatie... Abortus uiteraard. Daarna volgde ze onderwijs aan de school voor moderne beroepen. Rik werd gek op haar. Als oudere zus probeerde ze hem duidelijk te maken dat Betty geen vrouw voor hem was; maar hij luisterde niet. Betty had opnieuw veel amoureuze avonturen. Werd een tweede keer zwanger... en toen wilde ze opeens trouwen met Rik. Vermoedelijk is Johan niet zijn kind...

'Uw ex-man, Robert Feys, had ook een affaire met Betty?'

Ze knikt.

'Was dat de reden van de scheiding?'

'Onder andere...'

'Is Robert de vader van Johan...?'

Ze buigt het hoofd. 'Misschien,' mompelt ze.

'Ik weet dat hij niets te maken heeft met het ongeval van uw broer. Hij was in Parijs toen het gebeurde. Dat wist Roger ook.'

'Roger geloofde niet dat het ongeval een misdaad was.'

'Oh nee,' zegt Toets verrast. 'Ik dacht toch dat hij in die richting zocht.'

'Hij hield vol dat het een ongeval was. Dat ook Rik wel eens verstrooid kon zijn. Voorbeelden te over van ongevallen die te wijten zijn aan onoplettendheid; ook bij voorzichtige en aandachtige werknemers.'

'Maar ik dacht toch dat Roger de thesis van moord ernstig nam. Hij was bezig een soort misdaadroman te schrijven waarin...'

'O ja, mijn vermoeden bracht hem op het idee om het te gebruiken als gegeven voor een thriller. Hij kende de leefwereld van het industriële bedrijf en het zou origineel zijn om in zo'n milieu een misdaad te laten gebeuren.'

Toets zit er ietwat beteuterd bij... 'Bent u heel zeker dat Feys overtuigd was en erbij bleef dat de dood van uw broer te wijten was aan een ongeval?'

'Absoluut. Hij zei dat hij meteen de politie zou inschakelen zodra er ook maar het minste bewijs van misdadig opzet aan het licht zou komen.'

'Maar Albers dacht er toch anders over?'

'Ja, de jongeman meende dat Roger vermoord was juist omdat hij onlangs dat bewijs in handen had gekregen.'

'Enig idee wat het geweest kon zijn?'

'Wist ik het maar... Het is Albers fataal geworden.'

'Hebt u met iemand gepraat over uw gesprek met Albers?'

'Met mijn man.'

'De dag zelf? Woensdag?'

'Ja, en de dag daarop met...'

'Van geen belang. Toen was Albers al vermoord.'

'Heeft Verboven u niets verteld? Als er één persoon was die Roger in vertrouwen nam, dan was het zijn chef.'

'Eerlijk gezegd, mevrouw Bauwens, zal ik na ons gesprek een aantal zaken opnieuw op een rijtje moeten zetten.'

'Sorry, inspecteur. Ik heb gezegd wat ik gehoord heb en wat ik denk.'

'Welke minnaar van Betty zou, in geval van misdaad, uw broer vermoord kunnen hebben?'

'Praat eens met Bert Schepers.'

'Doe ik straks.'

Het gesprek is ten einde. Na een dankwoord van Toets neemt

mevrouw Bauwens afscheid met een stevige en toch vrouwelijke handdruk.

'Waarom glimlacht u, inspecteur?'

'Omdat ik bedenk dat ik op zo'n korte termijn nog nooit zoveel vrouwelijk schoon over de vloer gehad heb, en dan nog bij een onderzoek naar de moord op een jongeman waarvan men vertelt dat hij niets voor vrouwen voelde.'

'Ik spreek dat ten stelligste tegen.'

'Vertel maar... Alles blijft tussen ons.'

Zo begint het eigenlijke gesprek tussen Shirley Maes, alias Freya, en inspecteur Toets na de officiële plichtplegingen van welkom, dank en voorstelling.

'Waar zal ik beginnen , inspecteur?'

'Bij jullie ontmoeting op dinsdagavond.'

'Ik kwam, na me verkleed te hebben, de bar binnen en zag hem meteen zitten. Voor mannen die ongelukkig zijn heb ik een zesde zintuig. Ik ging er recht op af... Hij zei dat hij enkele weken geleden ook al geweest was, alsof dat iets te betekenen had. Mannen komen naar Bar Amigo voor één avond; er is geen voor en geen na. Als ze later nog eens terugkomen, dan is dat opnieuw de eerste keer... Begrijpt u wat ik wil zeggen, inspecteur?'

Uiteraard begreep Toets het. Een man gaat naar zo'n tent om alles te vergeten in de armen van een vrouw... Eventjes maar, want daarna begint het gewone leven opnieuw. Het is en blijft een loutere 'hier-en-nu-aangelegenheid'.

'Ik loog en zei dat ik hem herkende, dat ik zijn gezicht niet vergeten was. In mijn beroep, inspecteur, hebben mannen geen gezicht. Ik kan ze dus zeker niet onthouden. Hoewel ik moest toegeven dat Wim Albers een knap gezicht had. Opeens kreeg hij het moeilijk. Ik vroeg hem wat er scheelde. "Mijn vriend is vermoord," zei hij. Ik geloofde het aanvankelijk niet. Maar toen begon hij te vertellen wat hij die dag beleefd had...'

'De ontdekking van het lijk en zo...?'

'Precies... En dat hij nu verdachte nummer één was omdat hij die avond op de flat was van... Heet hij niet Roger? Hij was tevens zijn chef... Een luguber verhaal. Ik kreeg medelijden met hem. Hij was geen gewone klant. Kom, zei ik. Ik herinner me nog dat hij op de trap zei dat hij het nog nooit met een vrouw had gedaan.'

'Ik wil u niet dwingen om "uit bed te klappen", zoals men dat zegt, maar anderzijds is een man dan vaak loslippig... Heeft Albers iets gezegd over zijn zoektocht naar de moordenaar?'

'Waaraan hebt u gedacht, inspecteur, toen u de eerste keer met een vrouw naar bed ging? Aan gangsters en moorden, aan revolvers en dolken...?'

Toets glimlacht... 'Hij heeft dus niets gezegd dat u belangrijk lijkt nu u weet dat hijzelf vermoord is?'

'Ik ken mijn stiel, inspecteur, en zorg ervoor dat mannen niet meer denken. Albers was een vlugge leerling in de school van de liefde. Na die nacht zal hij niet langer bang geweest zijn van vrouwen.'

'Hij had de volgende dag wel sterke koffie nodig.'

'Ik ook, inspecteur.' Ze lacht guitig.

'Glaasje wijn?'

'Graag. De zondag is mijn rustdag.'

'Zoals het volgens de bijbel hoort te zijn... Gezondheid! Vertel eens hoe u in zo'n bar terechtgekomen bent. U ziet er niet uit alsof...'

'Alsof ik voor zo'n leven in de wieg was gelegd? Maar dat is niemand van ons. En eenieder heeft een ander verhaal. Dat van mij is eenvoudig... Ik ben tot mijn achttiende naar school geweest en werd toen verliefd op een man die tot dat milieu behoorde. We zijn nog steeds samen, maar u begrijpt dat echtelijke trouw... Ik zie dat u een trouwring draagt, inspecteur. Gelukkig getrouwd?'

'Bijna volmaakt, als ik dat mag zeggen.'

'Houden zo... Soms droom ik ervan... Een huwelijk...'

'Het kan nog; u bent jong en knap...'

'Stop, inspecteur. Dat hoor ik al te vaak.'

'Laten we het dan hebben over ons beroep.'

Het wordt een gesprek waarvan beiden genieten... Toets weet ondertussen dat Bert Schepers pas om zes uur komt.

***

Hij taxeert de man die zijn kantoor binnenkomt: fors postuur, zeker 1,90 meter lang, sportieve allure, bedrukt shirt, losse jumper, jeans-pantalon, stevige schoenen... imposant figuur. Het gezicht is open en fris, regelmatig zonder echt knap te zijn, de blik is wel indringend... Zeker als hij kwaad is. Zoals nu.

'Wat voor manieren zijn dat, inspecteur? Op zondag nog wel. Er is voetbal en ik ben lid van het bestuur.'

'Welke club, mijnheer Schepers? Gewonnen of verloren?'

'K.V. Walle. Kent u toch? Gelijkspel tegen Zottegem. Juiste uitslag.'

'Welkom, mijnheer Schepers en mijn excuses dat ik u ietwat gebruuskeerd heb, maar u begrijpt dat in een zaak met twee moor-den zon- en weekdagen weinig voorstellen. Snel handelen is belang-rijk. Gaat u zitten.'

'Is dit een verhoor? Ik zie niet in wat ik te maken kan hebben met die moorden...'

'Dit is geen verhoor; wel een babbel. Als u wel iets te maken zou hebben met die moorden, dan raad ik u aan u te laten bijstaan door een advocaat. Maar als u enkel gevraagd wordt om nuttige inlichtin-gen te geven dan lijkt me zo'n babbel een normale zaak.' Toets weet dat hij nu een hinderlaag aan het opzetten is.

'Ik weet van de hele zaak niets af.'

'Dan hoeft u ook niets te vrezen en hebt u geen advocaat nodig... U bent vakbondsvoorman bij Martins NV...? Als zodanig kent u zowel Roger Feys als Wim Albers?'

'We zagen elkaar bij het sociaal overleg. De laatste tijd waren er spanningen.'

'Over de betaling van het ploeggeld, heb ik vernomen. Had Roger Feys vijanden in het bedrijf?'

'Vijanden is een groot woord. Hij moet de belangen van het kapi-taal verdedigen; wij die van de werknemers. Maar we zijn daarom geen vijanden. Na de onderhandelingen, hoe moeilijk ook, drinken we samen een pint. Ieder doet zijn werk.'

'Ik bedoelde het anders, mijnheer Schepers... Misschien had Roger

Feys iets ontdekt dat belastend was voor een werknemer. Zodanig zelfs dat die geen andere keuze had dan Feys uit de weg te ruimen. Het was *hij of ik*; een kwestie van leven of dood.'

'Geef eens een voorbeeld, inspecteur...'

'Feys ontdekte dat er geknoeid werd bij de betalingen van de lonen en dat een of meer personen zich al jarenlang op deze wijze verrijkt hebben.... Of een ander voorbeeld... Feys ontdekte dat het elektrocutie-ongeval van een jaar geleden geen ongeval was maar wel moord.'

Schepers geeft geen krimp. In zijn voorhoofd verschijnt een rimpel. Hij wacht lang met het antwoord. 'Ik denk dat u verkeerd zoekt, inspecteur. Het is bekend dat Feys het niet bij vrouwen zocht, als u begrijpt wat ik bedoel, en dat Wim Albers vermoedelijk ook van dat soort was. Passie bij homo's is...'

Toets steekt vermanend de hand op. 'Dat spoor volgen wij ook, mijnheer Schepers. Later zal blijken welke het juiste is. Nu sluiten we nog niets uit. Met u wil ik het hebben over wat er bij Martins NV gebeurd kan zijn... U was als eerste bij het slachtoffer van die elektrocutie?'

'In het dossier vindt u alles, inspecteur. Ik wil hierover geen nieuwe verklaringen doen. Het onderzoek is afgesloten.' De toon is beslist. Toets voelt dat hij niet moet aandringen.

'Maandagavond – de avond dat Feys vermoord werd – was er een vakbondsbijeenkomst in De Gilde. Hoe laat was die afgelopen?'

'Rond halfnegen denk ik.'

'De Gilde is in de Groeningestraat...? Op zowat honderd meter van Residentie Leieboorden...?'

'Is dat een insinuatie, inspecteur? Ik wil het hierbij laten.'

'Zoals u wilt. Ik zal me helaas verplicht zien om alle deelnemers aan de vakbondsvergadering te ondervragen over hun tijdsbesteding na de bijeenkomst.'

'Da's al te gek, inspecteur.'

'Waarom? Wie onschuldig is, heeft niets te verbergen.'

In het voorhoofd van Schepers verschijnt opnieuw de rimpel.

'Ik heb evenmin iets te verbergen, inspecteur.'

'Als u dan zo vriendelijk wilt zijn om te vertellen wat u na de vergadering hebt gedaan... Nu we toch samen zijn is het in één moeite gebeurd.'

'Ik ben terug naar Andleie gereden...'

'Een kwartier later was u er?'

'Iets later, inspecteur. Ik kreeg onderweg een lekke band.'

'Waar?'

'Kort na de rotonde bij binnenkomst van de gemeente. Ik heb de reserveband gemonteerd en daardoor kwam ik pas na negen uur aan in café Bacchus, waar ik wist dat werknemers van Martins wachtten om de beslissing van de vergadering te horen.'

'Hoe laat precies?'

'Zowat tien over negen. Ik heb eerst mijn handen gewassen en toen heb ik het relaas van de bespreking gedaan. Daarna nog enkele pinten gedronken en rond elf uur ben ik naar huis gegaan.'

'U woont alleen?'

'Inderdaad. Geen getuige, als dat de achtergrond van uw vraag is.'

'En de lekke band?'

'De volgende dag ben ik ermee naar de garage geweest. Garage Moderne op de Wallense Steenweg.'

'Wat heeft u voor een auto?'

'Renault Mégane.'

'Draagt u soms een hoed, mijnheer Schepers?'

'Een hoed? Hoe komt u erbij? Heb ik geen kop voor.'

'Hebt u een lange regenjas?'

'Nu gaat u te ver, inspecteur. Als dat geen verhoor is...'

'Ik heb niets genoteerd en u moet niets ondertekenen. Morgen wel, want dan volgt een echt verhoor.'

'Morgen hoop ik een normale werkdag te hebben. Zonder politie en zonder stomme vragen.' Schepers staat op en zonder de inspecteur nog een blik waardig te gunnen stapt hij naar de deur.

'Mag ik u nog een laatste vraag stellen?' zegt Toets tegen de brede rug. 'Betty Craem zegt dat u haar minnaar bent. Ja of neen?'

Schepers draait zich woest om. 'Dat zijn uw zaken niet, inspecteur. Hebt u een maîtresse?'

De deur slaat hard dicht.

'Hoe was het met de vrouwtjes?' vraagt Miet.

'Vier knappe dames en een norse heer. Maar de vijfde is de allermooiste.'

Hij geeft Miet een dikke knuffel en strijkt Lucas over de haren. 'Dag jongen.'

'En het onderzoek?'

'Nog geen onwrikbare bewijzen; wel vermoedens die almaar sterker worden...' En hij brengt verslag uit van de gesprekken.

'Wat ga je nu doen?'

'Alles wat Schepers gezegd heeft natrekken. Een huiszoeking verrichten en hem samen met Betty op de rooster leggen. Officieel dan... Maar genoeg nu voor vandaag. Was het leuk bij oma, Lucas?'

'Ik heb een beer gekregen. Hij heet Teddy.' Fier toont hij zijn aanwinst.

'Met oma verder alles goed, Miet?'

'Zolang ze over zichzelf kan praten... Luisteren is wat moeilijker.'

'Zullen wij ook zo egocentrisch worden?'

'Ik oefen nu al door voortdurend aan jou te denken. Zeetong met frietjes; je lievelingsgerecht.'

'Ik haal een fles chablis.'

De avond verloopt gezellig. Vooral Lucas wil zijn zegje doen. Onder zwak protest wordt hij om negen uur in bed gestopt.

'En nu gezellig tv kijken. Er is een Maigret-film.'

'Toch niet *Maigret se trompe*?'

'Nee, *Maigret et le tueur*.'

Halfweg de film rinkelt de telefoon... Toets neemt op. Miet dempt het geluid van de tv. Hij luistert een tijdje zonder iets te zeggen. Miet begrijpt dat de spoeddienst van de politie aan de lijn is. Plots roept hij: ''t Is niet waar!' Miet ziet hoe hij lijkbleek wordt. Hij zwijgt en luistert verder zonder nog één woord te zeggen. Pas als hij de hoorn neerlegt, zegt hij: 'Ik ben een dag te laat,' ploft in zijn stoel neer en houdt een hand voor de ogen. Miet weet dat ze nu moet wachten tot hij uit zichzelf uitleg zal geven... Ze flipt het beeld van de tv weg. Het duurt nog een vijftal minuten eer hij tot spreken in staat is...

'De hulpcentrale en de spoeddienst kregen een melding van de naaste buren van Betty's schoonheidssalon dat er daar iets vreselijks was gebeurd. Toen ze ter plaatse kwamen vonden ze er Betty, dood en met het mes nog in het lichaam, en ernaast een zieltogende Bert Schepers die zich de polsen had doorgesneden. Vermoedelijk zal hij het halen... Had ik ze morgen samen kunnen verhoren...'

'Je hebt je best gedaan, Jan. De hele zaterdag en zondag gewerkt...'

'Ik had moeten vertrouwen op mijn intuïtie in plaats van naar harde feiten te zoeken.'

'Hebben de buren iets gehoord?'

'Het zoontje van Betty is wakker geworden en naar beneden gekomen. Het is naar de buren gegaan.'

'Vreselijk schouwspel voor dat kind.'

'Vier doden: de prijs voor de passie van één man.'

De heer Inspecteur Toets
Gerechtelijke Politie
8555 Walle

Geachte Heer Inspecteur,

Ik ben ter dood veroordeeld en wist dat het gebeuren zou en heb ook geen enkele poging gedaan om een mindere straf te krijgen, want ik heb gezwegen het
hele proces lang en volgens de kranten heb ik zelfs geen spijt betoond, maar
dat is niet juist. Ik heb eenmaal gezegd dat Betty gekregen heeft wat ze verdiende en dat de anderen enkel gestorven zijn omwille van haar, waarmee ik
wilde zeggen dat zij in feite de schuldige was en dat ik spijt had dat het zo
moest gebeuren. En die doodstraf doet me niets, want eigenlijk had ik mezelf
al ter dood veroordeeld toen ik mij de polsen doorsneed nadat ik Betty had
neergestoken.

Ik was zeventien toen ik Betty ontmoette op een fuif in het jongerentehuis.
Betty was toen zestien, inspecteur, en in mijn ogen was ze toen al een betove-
rende vrouw. Ik wist vanaf het begin dat het leven zonder haar niet de moeite
van het leven waard zou zijn.

Ook van Betty's kant was het liefde op het eerste gezicht. En u weet hoe dat op
die leeftijd gaat, inspecteur, van het een komt het ander. Een kostbare ring zou
het teken van onze verbintenis zijn. Ik had te weinig geld om er een te kopen
en toen ik hem probeerde te stelen, werd ik door de juwelier betrapt en vloog
ik in de gevangenis. Toen ik vrijkwam was Betty het vriendinnetje van mijn
beste vriend Rik Bauwens.

Ik wist dat haar terugwinnen een hopeloze zaak was, want haar ouders vonden Rik een betere partij en Betty zelf scheen nu tot over haar oren verliefd te
zijn op mijn vriend waar ze geen zier om gaf toen ik er was. Als haar liefde
voor mij zo licht was geweest, dan moest ik er geen drama van maken.

181

Met mijn diploma van elektricien op zak kon ik aan de slag bij Martins NV. Ik deed mijn werk met plezier en al zeg ik het zelf, inspecteur, ik ben een goed vakman en dat werd ook door mijn meerderen gezien, want in korte tijd werd ik tot voorman benoemd. Ook de vakbond zag iets in mij en de secretaris vroeg me of ik kandidaat wilde zijn voor de ondernemingsraad.

Rik en Betty maakten plannen om te trouwen met de volle toestemming van beide ouderparen die in de portemonnee tastten en Betty installeerden in een heus salon.

Op een avond kwam Rik op bezoek en zei dat de zaak van zijn vader waarin hij werkte failliet was en dat hij nu zonder werk zat. Hij vroeg of ik niet een goed woordje voor hem kon doen voor een job bij Martins. Ik beloofde mijn best te doen. Het lukte en hij kwam bovendien op mijn afdeling terecht en zo werd ik zijn chef. Bij Rik en Betty werd ik vriend aan huis en later peter van hun zoontje Johan.

De relatie tussen Rik en Betty verslechterde van jaar tot jaar. Zij wist van aanpakken, had een goed cliënteel en breidde haar salon uit. Ze werd een echte zakenvrouw terwijl Rik zich liet gaan. Hij verzorgde zich niet en dronk. Betty maakte haar beklag dat hij zijn zoontje vaak slaag gaf en vroeg me als peter om tussenbeide te komen, met als gevolg dat Johan zich meer tot mij aangetrokken voelde dan tot zijn vader; en dat alles maakte dat Betty en ik als het ware in elkaars armen werden gedreven. Voor de buitenwereld bleven we vrienden zonder meer en niemand wist dat we elkaar eenmaal in de week troffen op een hotelkamer in Gent.

Zo verliepen enkele jaren.

Toen Betty op een avond samen met Johan huilend bij mij binnenviel en zei dat ze bang was van Rik - hij had gedronken en verweet haar een smerige hoer te zijn - velde ik het doodvonnis over Rik Bauwens. Ik zou alleen handelen en zonder medeweten van Betty. Zo konden we samen een nieuw leven beginnen.

Een krantenbericht over de elektrocutie van een werknemer bij het uitvoeren van onderhoudswerken bracht me op het idee. Ik zal u niet met technische details lastigvallen, inspecteur, maar achteraf bleek toch dat mijn plan goed in elkaar zat. Ik was zo stil mogelijk de hal waar Rik aan het werk was binnengekomen en hield hem vanuit een schuilhoek bij de cabines in de gaten en zo kon ik op het juiste ogenblik de stroom inschakelen. Ik kreeg echter geen kans meer om de contacten die hij al vervangen had aan het andere eind van de leiding opnieuw in de vroegere staat te brengen omdat de ingenieur van dienst opeens de hal binnenkwam.

Ik heb geleerd, inspecteur, dat mensen moeilijk van idee veranderen als ze eenmaal iets voor waar hebben aangenomen. De dood van Rik Bauwens was een arbeidsongeval, te wijten aan onoplettendheid, en als men dat eenmaal gelooft dan wordt alles wat nadien vastgesteld wordt, ingepast in dat scenario. Ook toen bleek dat de contacten aan het andere eind van de leiding al vervangen waren. Ik wist dat dit een bezwarend element kon worden en vond het voorzichtiger zelf die vaststelling te doen, maar ik had er een uitleg voor. Rik had het plan verkeerd gelezen en gedacht dat de twee cabines het netwerk van de elektrische leidingen in de breedte opdeelden in plaats van in de lengte en die verklaring werd aanvaard door het Hoofd van de Preventiedienst. De zus van Rik (mevrouw Bauwens) was de enige die lastig deed en vertelde dat Betty achter de schermen de aanstookster van een misdadig opzet was. Gelukkig geloofde niemand haar.

Na zes maanden werd het onderzoek afgesloten en het besluit was: arbeidsongeval met de dood als gevolg.

Ik schrok me een bult toen kort na het afsluiten van de zaak Rik Bauwens de jurist van de personeelsdienst (Roger Feys) me uitnodigde voor een gesprek over een moord door elektrocutie. Hoe was dat in 's hemelsnaam mogelijk, vroeg ik me af, het dossier was gesloten en de gesprekken met de verzekering over schadevergoeding waren volop aan de gang, waarbij Betty de hulp had ingeroepen van advocaat Vercruysse. Ik ging er met knikkende knieën naartoe.

Feys was minzaam zoals altijd en legde me uit dat hij door het ongeval op het idee was gekomen om met dat gegeven een misdaadroman te schrijven; om hem te helpen bij de technische details had hij aan mij gedacht. U kunt zich voorstellen, inspecteur, dat ik water en bloed zweette. Vermoedde Feys de ware toedracht van de feiten en was de idee van die misdaadroman enkel een foefje om me uit mijn tent te lokken? Wilde hij zonder het onderzoek officieel opnieuw te openen op een slimme wijze de waarheid bekendmaken? Zou hij me beetje bij beetje in het nauw drijven? Na dat gesprek had ik geen uur rust meer.

Het leek wel of Feys er plezier in had zout in de wonde te strooien. Geregeld kwam hij me opzoeken en vroeg dan technische uitleg over van alles en nog wat, zoals bijvoorbeeld vanaf welke spanning de dood een zekerheid is, wie verantwoordelijk is voor de ijking van de controleapparatuur enzovoort.

Feys liet me nummers van Mystery Magazine zien en zei dat het de bedoeling was om zijn roman in afleveringen te laten verschijnen in dat tijdschrift. Ik deed of ik doof was aan een kant, maar kon niet beletten dat mijn onrust alsmaar groter werd. Wat was de bedoeling van Feys?

De onzekerheid werd vrees toen hij me vertelde dat het eerste deel van zijn roman af was. Bij het begin van het tweede deel – een jaar na het 'dodelijke ongeval' – zou er iets gebeuren waardoor de jurist van het bedrijf begon te twijfelen aan de thesis van ongeval en een persoonlijk onderzoek startte dat zou leiden tot de ontdekking van de moord en de ontmaskering van de dader. Ik vroeg langs mijn neus weg wie er zoal op de hoogte waren van het onderwerp van zijn roman en toen hij antwoordde dat ik de enige was die daarover het fijne wist, werd ik echt bang. Ik was overtuigd dat Feys een kat-en-muisspel met me speelde en besloot toen dat hij het tweede deel van zijn roman niet mocht schrijven.

Hoe het die bewuste avond verliep heb ik u al verteld, inspecteur, ik herhaal het hier kort. Via de conciërge (ook werknemer bij Martins) vernam ik al het nodige over Feys zijn leefgewoonten en die van de andere bewoners van Residentie Leieboorden. Ik liet zogezegd blijken dat ik interesse had om daar een *flat te huren. Zo kwam ik te weten dat de bewoners recht tegenover de flat van Feys op maandagavond altijd afwezig waren. Ik zag de kans schoon om mijn slag te slaan toen er op die bewuste maandag een vakbondsvergadering plaatsvond in lokaal De Gilde, gelegen op korte afstand van de Lieboorden. De vergadering eindigde rond halfnegen en in de auto had ik het nodige bij me, een afgedankte regenjas, een ouwe hoed en een dolk. In de hal van de Residentie was niemand en toen ik op de deurtelefoon drukte antwoordde Feys meteen. Ik vroeg of hij alleen was en zei hem dat de vergadering met de vakbonden afgelopen was en dat het misschien goed was dat ik hem daarover inlichtte. Ik nam de lift naar boven, belde aan en hij deed open. Ik stak vele keren toe, hij strompelde achteruit de kamer in en ik volgde hem al verder toestekend tot hij dood was. Ik haastte me ongezien naar buiten.*

Hoe kon ik een sluitend alibi hebben?

Op de regenjas zaten bloedvlekken maar dat waren zorgen voor later. Even buiten Walle hield ik halt langs de weg op een goed verlichte plek en deed of ik een lekke band had. Ik wachtte tot er drie auto's voorbij waren gekomen die me zeker hadden opgemerkt, want een chauffeur had zelfs vertraagd, maar ik had hem een teken gegeven dat ik het wel alleen aankon. Ik maakte mijn handen goed vuil en toen ik in café Bacchus aankwam was dat precies 35 minuten nadat ik De Gilde verlaten had. Ik waste mijn handen en bracht verslag uit aan de militanten die in het café hadden gewacht, daarna gooide ik de dolk in het kanaal en verbrandde thuis in mijn allesbrander de jas en de hoed. In mijn garage drukte ik een nagel in de voorband en zette het reservewiel op mijn auto om de volgende dag de herstelling te laten uitvoeren bij mijn vaste garage.

Ik was ervan overtuigd een tweede perfecte moord te hebben gepleegd.

Ik schrok dan ook toen twee dagen na de dood van Feys Betty me vertelde dat zij bezoek had gekregen van Wim Albers, die haar verteld had dat er een verband moest zijn tussen de moord op zijn chef en het elektrocutieongeval een jaar eerder. Feys had dus gelogen toen hij zei dat niemand op de hoogte was van zijn vermoeden, hij had er iets over gezegd aan zijn adjunct en die zette het onderzoek voort. Ik had Feys vermoord om mezelf te beschermen en een tweede moord maakte niet veel verschil uit.

Ik besloot vlug te handelen, want hoe langer Albers met dat idee rondliep, hoe gevaarlijker het voor mij werd. Gelukkig had hij aan Betty zijn gsm-nummer gegeven. Na herhaaldelijk bellen antwoordde Albers en ik deed me voor als de echtgenoot van mevrouw Bauwens. Of ik zijn stem goed nabootste weet ik niet, maar dat hij stotterde wist ik wel en toen ik dat eenmaal gedaan had, geloofde Albers in mijn valse identiteit. De rest van het verhaal kent u, inspecteur, en ik kan u verzekeren dat ik het erg vond om een jongeman met zoveel capaciteiten te doden.

U weet best, inspecteur, wat er tussen ons gezegd werd en voor mij was het duidelijk dat het net zich om mij heen spande en dat het enkel nog een kwestie van dagen was eer ik onder verdenking zou worden gesteld. Meteen na ons gesprek ben ik naar Betty gegaan.

Ze ontving me koel en liet me duidelijk merken dat ze met rust gelaten wilde worden en dat mijn aandringen om te trouwen haar niet zinde. Het was de eerste keer, inspecteur, dat ze zo duidelijk zei wat ik al een tijdje gevreesd had, namelijk dat haar liefde voor mij dood was. Ik verweet haar dat ze me voor de gek hield en eiste nu alles van haar. We moesten België uit en trouwen in het buitenland. Ze lachte me vierkant uit en zei dat als ze met een man zou trouwen het dan met meester Vercruysse zou zijn; hij had haar al een aanzoek gedaan. Dat deed bij mij de stoppen doorslaan, inspecteur, ik gooide haar in het gezicht wat ik al gedaan had om haar tot de mijne te maken en te behouden... Drie moorden! Ze geloofde me eerst niet, maar ik stapelde de bewijzen op met alle details erbij en betrok haar in mijn daden. Nu weet je alles zei ik, en heb je de keuze: ofwel je zwijgt en bent daardoor medeplichtig en rest ons niets anders dan zo vlug mogelijk te vluchten naar het buitenland, ofwel je geeft me aan en word ik ter dood veroordeeld. Haar antwoord was dat ze de volgende dag alles zou vertellen aan inspecteur Toets. En toen is het gebeurd... Op tafel lag een mes en ik heb gestoken als een wildeman. Toen ze bloedend neerviel realiseerde ik me dat alles verloren was. Ik ging liggen op de canapé en sneed mezelf de polsen door. Het laatste wat ik hoorde was het tikken van de bloeddruppels op de vloer.

Ik werd een eeuwigheid later wakker in de kliniek. Het duurde een tijdje eer ik besefte wat er gebeurd was. U stond aan mijn bed, inspecteur, en toen wist ik het opeens. Ik heb alles bekend, want wie uit het leven wil stappen kan niet meer vechten voor datzelfde leven. Tot wanhoop van mijn advocaat heb ik tijdens het proces geen woord gezegd. Ik betreur het dat in dit land de doodstraf niet meer wordt uitgevoerd.

Zonder Betty heeft het geen zin verder te leven.

Ik groet u, inspecteur

Bert Schepers

UIT HET NOTITIEBOEK VAN TOETS

Het proces van Bert Schepers was in zijn eindfase toen ik een causerie bijwoonde van de heer Mark Emmers, hoofdredacteur van Mystery Magazine. Het onderwerp was: 'Fictie en factie in de misdaadroman'.

Na de causerie was er een receptie aangeboden door het Genootschap van Vlaamse Misdaadauteurs (GVM). Ik maakte een praatje met de heer Emmers en uiteraard kwam Roger Feys ter sprake... Hij had dikwijls met hem van gedachten gewisseld over de misdaadroman die hij aan het schrijven was.

Ik vroeg hem of Feys volgens hem wist of vermoedde dat het ongeval in werkelijkheid een moord was. Hij keek me verbaasd aan...

'Helemaal niet. Het was volgens hem een ongeval, maar in zijn roman wilde hij er een moord van maken en met de overgang van werkelijkheid naar fictie had hij problemen.'

Toen ik thuiskwam zei ik tegen Miet: 'Feys heeft door een misdaadverhaal te schrijven een reeks van drie moorden in gang gezet.'

'Da's de wereld op zijn kop,' was haar commentaar.

Bert Schepers heeft zich verhangen in zijn cel; met een riem aan de radiator van de verwarming.

Onderzoeksrechter Aernout heeft 'de kelk van de loutering geledigd' en is samen met zijn vrouw aan een nieuwe fase van hun huwelijk begonnen. Ik wens ze veel geluk toe.

Nelly en Linders trekken nu samen op. Of het iets wordt? Ze zijn bezield met de beste intenties.

Snels huurt flat 3A in Residentie Lieboorden en wordt vaak gezien in gezelschap van mevrouw Jansen. Hij is een ander mens geworden: beleefd en voorkomend, geïnteresseerd in kunst en cultuur. Wat een vrouw al niet kan bewerkstelligen!

We zijn naar Bar Oscar Wilde gegaan... Miet en Julie, de klasgenoten van weleer, zijn nu dikke vriendinnen.

We zijn geregeld te gast bij het echtpaar Verboven. Hij 'bevadert' me als het ware en vertelt anekdotes die hij met mijn vader zaliger beleefd heeft.

De moeder van Roger Feys is aan het hart bezweken. Het proces en de verslagen in de media waren haar te veel.

Flat 1A is in alle eer en deftigheid verhuurd aan eerwaarde heer Smets, emeritus hoogleraar.

Ingenieur Delrue, hoofd van de preventiedienst, is vervroegd met pensioen gegaan.

Mevrouw Bauwens baat de vroegere schoonheidssalon van Betty uit en heeft Johan geadopteerd.

En last but not least... Miet is zwanger.

Wilt u iets kwijt aan de auteur?

Axel Bouts
Open Veld 16
8500 Kortrijk
tel. 056-357.688
bouts.devos@belgacom.net

Axel Bouts is lid van het Genootschap van Vlaamse Misdaadauteurs (GVM).
www.misdaadauteurs.be